D0754996

Peter H. Feist

Pierre-Auguste Renoir

1841–1919

Un rêve d'harmonie

TASCHEN

COUVERTURE :
Détail de : ***Deux Sœurs (Sur la terrasse)***, 1881
Huile sur toile, 100 x 80 cm
Chicago, The Art Institute of Chicago,
Mr. and Mrs. Lewis L. Coburn Memorial Collection

FRONTISPICE :
Femme assise au bord de la mer, 1883
Huile sur toile, 92 x 73 cm
New York, The Metropolitan Museum of Art,
H. O. Havemeyer Collection

DOS DE COUVERTURE :
Pierre-Auguste Renoir dans son atelier, 1912
Photo : akg-images

Hohenzollernring 53, D–50672 Köln
www.taschen.com

Rédaction et production : Ingo F. Walther, Alling
Traduction française : Anne Lemonnier, Paris
Couverture : Catinka Keul, Angelika Taschen, Cologne

Printed in Germany
ISBN 978-3-8228-6172-1

Sommaire

Origines et entourage, maîtres et amis
1841 – 1867

« Quand je pense que j'aurais pu naître chez des intellectuels ! Il m'aurait fallu des années pour me débarrasser de mes préjugés et voir les choses comme elles sont. Et peut-être aurais-je été maladroit. »

PIERRE-AUGUSTE RENOIR

Les œuvres de Pierre-Auguste Renoir figurent en bonne place dans toutes les grandes collections de peinture française du 20e siècle. Mais lorsqu'au gré de ses déambulations, le visiteur arrive devant ces toiles, il est immédiatement sensible à ce qu'a de particulier le charme qui s'en dégage : car elles comptent parmi les plus sereines et les plus heureuses de la longue histoire de la peinture. C'est d'ailleurs ainsi que pourrait se définir ce qui fait la grandeur et les limites mêmes de ses tableaux : Renoir a su faire du plaisir visuel le principe fondamental de son art.

Renoir est né à Limoges le 25 février 1841. On estime qu'en quelque 60 années de création, ce fils de tailleur a produit le nombre impressionnant de 6 000 tableaux – l'œuvre le plus important jamais peint avant Picasso. Élevé dans un milieu petit-bourgeois où la carrière de peintre était considérée comme des plus suspectes, Renoir n'eût certainement pas imaginé, au moment où il fit le choix qui décida du reste de sa vie, le montant exorbitant des tractations financières dont ses tableaux feraient plus tard l'objet : la valeur marchande de ses meilleures toiles se chiffre aujourd'hui en dizaines de millions de francs.

Léonard, le père de Renoir, était un petit artisan qui ne roulait pas sur l'or. En 1845, il quitta Limoges avec toute sa famille et vint s'établir à Paris dans l'espoir, vite déçu, d'améliorer ainsi sa situation financière. Paris était alors la capitale de l'une des plus grandes puissances mondiales. L'unification territoriale engagée dès le Moyen Âge avait abouti à une centralisation exemplaire de la vie politique et économique : Paris était tout à la fois le cœur et le plus beau fleuron de la France. Ses habitants avaient derrière eux plusieurs siècles d'un passé glorieux. La place prépondérante de la bourgeoisie dans les affaires du pouvoir était assise sur une succession de combats révolutionnaires dont elle était sortie chaque fois renforcée. C'est ainsi qu'elle avait, moins d'un demi-siècle plus tôt, élevé un petit officier corse au rang de souverain européen – il s'agit naturellement de Napoléon Bonaparte – et ce faisant, elle avait, en dépit des revers essuyés par l'Empereur, confronté aux désirs de liberté d'autres peuples européens et inauguré une page de l'histoire dont l'éclat ne s'était pas encore totalement terni en 1845. Mettant à profit la renommée légendaire de son oncle, Louis Napoléon Bonaparte se fit en 1848 élire à la présidence de la Seconde République et fomenta fin 1851 le coup d'État qui devait faire de lui Napoléon III, second empereur des Français.

Comme tout ce qui touchait à l'apparat, l'art joua un rôle prépondérant sous le Second Empire. En matière de littérature, on assista à l'éclosion de multiples tendances où une prose distrayante et prolixe se disputait à une poésie plus subtile, ou encore au

PAGE DE GAUCHE :
Portrait de Mademoiselle Romaine Lacaux, 1864
Huile sur toile, 81 x 65 cm
Cleveland, The Cleveland Museum of Art

« Ce que j'ai copié de fois l'*Embarquement pour Cythère*. C'est ainsi que les premiers peintres avec lesquels je me familiarisai furent Watteau, Lancret et Boucher. Je dirai, avec plus de précision, que la *Diane au bain* de Boucher est le premier tableau qui m'ait empoigné, et j'ai continué toute ma vie à l'aimer, comme on aime ses premières amours … »

PIERRE-AUGUSTE RENOIR

réalisme critique d'un Haubert ou d'un Zola. Les pièces de Victorien Sardou et Alexandre Dumas fils attiraient au théâtre un public nombreux et appréciateur. La bourgeoisie nantie courait les concerts, les opéras, les ballets, applaudissait aux opérettes d'Offenbach : c'est avec un intense plaisir que l'on savourait ces festins de sons et d'images. Paris fut peu à peu envahi par une architecture dispendieuse que l'on agrémentait volontiers d'ornements baroques. Le baron Georges Eugène Haussmann, préfet de la capitale, entreprit de modifier radicalement le profil de la ville : on tailla de larges avenues, on édifia des immeubles imposants, destinés aux particuliers comme aux sociétés privées. C'est à cette époque que l'on construisit l'Opéra, mais aussi les célèbres Halles, ce monstre de verre et de fer que l'on appellerait bientôt « le ventre de Paris ». On mit les artistes à contribution : Jean-Baptiste Carpeaux, par exemple, fut sollicité pour réaliser les sculptures indispensables à cette pompe néo-baroque, et une foule de portraitistes furent chargés de dépeindre le bien-être bourgeois dans des toiles aux tons saturés, agréables à l'œil et impeccablement léchées, véritables morceaux de bravoure dont la séduction était destinée aux salons et aux boudoirs, aux restaurants et aux clubs où se retrouvait la bonne société. L'Académie des Beaux-Arts organisait chaque année une exposition, le Salon, pour laquelle un jury composé essentiellement de professeurs en vue de cette institution sélectionnait environ 2500 toiles ; le public désireux de se porter acquéreur s'en remettait à son jugement.

Le jeune Renoir avait un talent manifeste pour le dessin et la peinture. Il est vrai qu'il lui fut tout d'abord impossible de le mettre en œuvre ailleurs que dans la manufacture où il était apprenti : entré à 13 ans comme peintre sur porcelaine et payé huit sous la pièce, il réalisait au pinceau de petites fleurs, des idylles champêtres, et esquissait sur des tasses à café le profil de Marie-Antoinette. Il est vraisemblable qu'il faut rechercher dans cette première expérience et dans l'acquisition de ces techniques l'origine du goût qu'il manifesta plus tard pour les luminosités chatoyantes et les tons délicats, ainsi que celle de son talent pour reproduire le poli de la porcelaine. À l'heure du repas, il se privait souvent de déjeuner pour se rendre au Musée du Louvre, qui se trouvait à proximité de son atelier, et où il s'exerçait à dessiner les statues de l'antiquité. Alors qu'il était en quête d'un restaurant bon marché, il tomba un jour en arrêt devant la fontaine des Innocents : c'est ainsi qu'il découvrit les bas-reliefs de Jean Goujon, sculpteur de la Renaissance. « Du coup, je renonçai au bistro, j'achetai un peu de saucisson … et je passai mon heure de liberté à tourner autour de [cette fontaine] », raconta-t-il plus tard ; et dans bien des tableaux de Renoir, on peut percevoir comme le souvenir discret des nymphes de Goujon découvertes ce jour-là.

Renoir ne travailla que quatre ans comme peintre sur porcelaine. Le développement des moyens de production eut des répercussions directes et brutales sur sa vie et sur celle de bien d'autres encore : l'invention d'une machine permettant l'impression sur porcelaine des motifs décoratifs rendait superflu le travail des peintres spécialisés. Renoir se retrouva au chômage. Il se consacra alors à la peinture sur éventails et à la décoration de rideaux d'église pour des missionnaires d'outre-mer. Il acquit ainsi un coup de pinceau sûr et rapide. Bien des années plus tard il évoquerait avec reconnaissance le souvenir des maîtres rococo qu'il avait si souvent dû copier.

Le travail et la persévérance de Renoir portèrent leurs fruits. À 21 ans, il se retrouva en possession d'économies suffisantes pour pouvoir entreprendre des études artistiques sérieuses. En avril 1862, il entra à l'École des Beaux-Arts. Celle-ci était placée sous l'autorité du Directeur Impérial des Beaux-Arts, le comte Alfred de

PAGE DE DROITE :
Nature morte, arums et plantes de serre, 1864
Huile sur toile, 130 x 98 cm
Winterthur, collection Oskar Reinhart « Am Römerholz »

« Quand on regarde les œuvres des anciens, il n'y a vraiment pas de quoi être fier. Quels merveilleux artisans étaient avant tout ces gens. Ils comprenaient leur métier. Tout est là. La peinture n'est pas que l'expression de ses sentations. Elle est d'abord un travail manuel et l'on doit être un travailleur consciencieux. »
PIERRE-AUGUSTE RENOIR

Nieuwerkerke, qui rejetait catégoriquement la peinture réaliste : il la jugeait « démocratique et répugnante ». Aux Beaux-Arts, on pratiquait la copie, on apprenait à dessiner les modèles en plâtre avec autant d'exactitude que possible et on plaçait la peinture des scènes historiques au-dessus de tous les autres genres. Renoir suivit l'enseignement de plusieurs professeurs, mais il était en réalité l'élève de Charles Gleyre, à qui ses allégories glacées avaient valu, quelque vingt années plus tôt, une certaine renommée. Renoir fréquenta surtout les cours particuliers que Gleyre donnait en dehors de l'École, et où trente à quarante élèves dessinaient ou peignaient d'après des modèles nus. Grâce à son activité antérieure, il avait la main sûre, et il était en outre profondément désireux de bien accomplir le travail qui lui était demandé. Mais il avait, à la fois spontanément et parce qu'il avait copié tant d'œuvres rococo, un penchant pour les couleurs fortes et lumineuses. Dès les premières semaines, il y eut un accrochage entre Gleyre et son élève. Beaucoup plus tard, Renoir a relaté lui-même l'incident : « Je m'étais donné beaucoup de mal pour peindre le modèle. Gleyre examine mon tableau, prend un air glacé et dit : "C'est sans doute pour vous amuser que vous faites de la peinture ? – Mais naturellement, ai-je répondu, si ça ne m'amusait pas, je vous prie de croire que je n'en ferais pas." Je ne suis pas certain qu'il m'ait bien compris », ajoutait Renoir. Sa réponse n'était donc pas aussi provocatrice qu'elle le paraissait, mais une nouvelle approche de l'art s'y esquissait déjà, qui impliquait moins de sérieux et moins de déférence à l'égard de « l'auguste divinité de l'Art », et substituait au sens du devoir une conception plus sensuelle, plus spontanée et plus personnelle.

Parmi les élèves, il y en avait un qui se soumettait encore moins que Renoir aux doctrines de leur professeur : c'était Claude Monet. Renoir se lia d'amitié avec lui, ainsi qu'avec Alfred Sisley et Frédéric Bazille (p. 14). De tous, Monet était le plus virulent. Eugène Boudin lui avait appris comment observer et comment peindre un paysage à la lumière du jour, et c'est à lui que l'éclairage comparativement froid et artificiel de l'atelier convenait le moins. En mai 1863, Monet et Renoir se rendirent ensemble au Salon des Refusés où ils virent *Le Déjeuner sur l'herbe* d'Édouard Manet (Paris, Musée d'Orsay). Le tableau était vilipendé par un public indigné qui n'en acceptait ni le sujet déconcertant ni les couleurs inhabituellement claires : nos jeunes gens reconnurent en Manet un frère d'armes. Lorsqu'au début de l'année 1864, Gleyre prit sa retraite, Renoir et ses compagnons décidèrent de poursuivre seuls. Au printemps, Monet les emmena à Chailly-en-Brière dans la forêt de Fontainebleau afin qu'ils y fassent tous ensemble des études d'après nature. Trente années s'étaient déjà écoulées depuis que quelques peintres encore jeunes avaient pour la première fois considéré les beautés discrètes et sans prétention des sous-bois ou des bords de fleuve comme des sujets dignes d'être peints. On les appelait les peintres de Barbizon, du nom de ce village situé à l'orée de la forêt de Fontainebleau qui était leur principal lieu de séjour. Certains d'entre eux, comme Charles-François Daubigny, Narcisse Diaz de la Peña et Camille Corot, y travaillaient toujours. Le regard réaliste qu'ils portaient sur une nature qui leur était familière, était encore un sujet de polémiques.

C'est en 1864 que Renoir présenta sa première toile au Salon ; celle-ci fut même acceptée. Il s'agissait d'*Esméralda dansant avec sa chèvre,* une composition dont le thème était tiré du roman de Victor Hugo, *Notre-Dame de Paris.* Tout permet de penser que pour la peindre, Renoir avait eu recours à un mélange à base de bithume ce qui devait lui conférer cette tonalité sombre commune à la plupart des tableaux que l'on pouvait

PAGE DE DROITE :
Le Cabaret de la mère Anthony, 1866
Huile sur toile, 195 x 130 cm
Stockholm, Statens Konstmuseer

« C'est au musée qu'on apprend à peindre [...] quand je dis qu'on apprend à peindre au Louvre, je ne veux pas dire que l'on doit gratter le vernis des tableaux pour voler leur facture et refaire des Rubens et des Raphaël. On doit faire la peinture de son temps. Mais c'est [...] au Musée qu'on prend le goût de la peinture que la nature ne peut pas, seule, vous donner. On ne dit pas devant un beau paysage : je veux devenir peintre, on le dit devant un tableau. »

PIERRE-AUGUSTE RENOIR

voir dans les galeries de cette époque ; Diaz, l'un des peintres de Barbizon, lui ayant déconseillé l'utilisation de ce procédé, Renoir fit acte d'auto-critique et détruisit le tableau. Diaz et Renoir s'étaient en effet liés d'amitié. Diaz, alors âgé de 57 ans, jouissait d'une certaine aisance financière : Renoir, qui n'avait que 23 ans, bénéficia grâce à son aîné de conseils, mais aussi d'une aide matérielle dont il avait le plus grand besoin.

À cette époque, Renoir éprouvait en outre une grande admiration pour Gustave Courbet et Eugène Delacroix. Depuis 1849, les tableaux réalistes de Courbet étaient très remarqués et suscitaient l'indignation du public. Courbet s'intéressait tout aussi bien aux casseurs de pierre que l'on pouvait voir au bord des routes en construction, qu'à des paysages aux motifs simples, mais il réalisait également des portraits et de ces nus féminins dont les formes imposantes, paysannes, se voulaient une représentation fidèle de la vie telle qu'elle s'offrait à lui. Il avait une prédilection pour les teintes sombres et savait rendre la solide opacité des choses ; ses tableaux allaient en général à l'encontre de toutes les règles de la composition académique, mais il s'en dégageait une beauté qui participait de l'essence même de la nature. Le réalisme de Courbet s'accordait avec ses conceptions démocratiques et matérialistes. Partisan du socialiste bourgeois Pierre-Joseph Proudhon, le peintre s'inscrivait en faux contre l'idée qu'une œuvre d'art dût être jugée comme une entité indépendante de tout le reste ; au contraire, elle devait être évaluée selon des critères qui prenaient en considération sa fonction à l'intérieur de la société. Cette idée avait été lancée par les romantiques, au nombre desquels figurait Delacroix, l'autre modèle de Renoir. Dans sa première période, ce dernier avait peint des toiles dont les thèmes lui avaient été suggérés par la réalité sociale, et il avait de cette façon contribué à remettre en cause les schémas figés des règles classicistes. Le classicisme avait représenté en son temps un progrès considérable, mais il fit par la suite figure d'entrave à l'évolution artistique. Les classicistes étaient extraordinairement peu sensibles aux couleurs du monde dans lequel ils vivaient : Delacroix rendit à la couleur ses lettres de noblesse. En outre, il concéda à l'intérieur de la représentation picturale une place plus importante aux qualités qui découlent directement de la personnalité, de la sensibilité et de l'imagination du créateur. Renoir fut séduit par les couleurs embrasées et la splendeur festive de ses tableaux. S'il avait déjà connu à cette époque la dernière phrase du *Journal* de Delacroix : « Le premier devoir d'un tableau est d'être une fête pour les yeux », nul doute qu'il y aurait entièrement souscrit.

Au cours de l'été 1865, Renoir et Sisley descendirent la Seine en voilier ; ils se rendirent jusqu'au Havre où ils assistèrent à ces régates qui deviendraient bientôt l'un de leurs thèmes favoris. Ils en profitèrent pour peindre le fleuve et ses rives vus du bateau, reprenant ainsi une perspective chère à Daubigny, l'initiateur de cette méthode. Cette année-là, le Salon agréa de nouveau les œuvres présentées par Renoir mais, l'année suivante, il se montra plus intransigeant. Ce changement d'attitude marqua le début d'une lutte acharnée pour faire accepter des conceptions artistiques radicalement nouvelles.

Renoir passait maintenant la majeure partie de son temps près de Fontainebleau, dans un village appelé Marlotte. C'est là qu'il peignit *Le Cabaret de la mère Anthony* (p. 11), tableau dans lequel il représente tous ses compagnons assis autour d'une table et discutant le contenu de *L'Événement* ; le jeune Zola venait de publier dans ce même journal sa célèbre critique du Salon de 1866, où il définissait l'œuvre d'art comme « un morceau de nature vu par un tempérament ». Il est difficile d'identifier sans risque

PAGE DE DROITE :
Diane chasseresse, 1867
Huile sur toile, 197 x 132 cm
Washington, D.C., National Gallery of Art, Chester Dale Collection

d'erreur les différentes personnes qui figurent sur ce tableau, mais il est certain que Sisley et le peintre Jules Lecœur sont du nombre. Sur le mur, on distingue des graffitis représentant des notes de musique et des caricatures et, parmi ces dernières, on reconnaît celle d'Henri Murger qui avait écrit en 1851 les *Scènes de la vie de bohème.* Tous ces jeunes peintres se considéraient comme des bohèmes, des artistes pauvres, passionnés, ne vivant que pour leur art, mais incompris. En 1867, le jury du Salon se montra particulièrement sévère envers eux. Il rejeta la toile présentée par Renoir; il s'agissait d'un très beau nu, d'une *Diane* (p. 13) que Renoir avait exécutée avec le souci de rester parfaitement fidèle au modèle dont il s'était inspiré. Cette toile n'avait pourtant pas la crudité sans fard de la baigneuse peinte 14 ans plus tôt par Courbet, que la critique avait qualifiée de « Vénus hottentote »; mais on ne pardonna pas à cette *Diane* ses allures saines et réalistes qui tranchaient avec celles des nus tels qu'on les appréciait alors et dont Zola disait qu'ils étaient outrageusement amollis et lubriques, et comme nappés de poudre de riz. Il drapa après-coup la nudité de son personnage féminin d'une peau de bête, et le métamorphosa grâce à l'adjonction d'un arc et d'une dépouille de biche, en une déesse chasseresse évocatrice des mythes antiques. Mais même cette concession au goût de l'Académie pour les thèmes mythologiques ne suffit pas à lui éviter un refus. Une Exposition Universelle avait lieu cette année-là à Paris et le jury entendait présenter aux visiteurs une image « sans tache » de la peinture française.

À GAUCHE:
Lise (La Femme à l'ombrelle), 1867
Huile sur toile, 184 x 115 cm
Essen, Museum Folkwang

À DROITE:
Frédéric Bazille, 1867
Huile sur toile, 106 x 74 cm
Paris, Musée d'Orsay

Le Pont des Arts, Paris, 1867
Huile sur toile, 62 x 103 cm
Pasadena, Norton Simon Foundation

Au cours des trois années suivantes, Renoir réussit à faire exposer ses toiles au Salon, malgré leur facture encore plus moderne. Le jury était d'humeur plus libérale : Daubigny en faisait désormais partie, défendant la cause des jeunes réalistes. Le gouvernement de l'Empire, qui vivait ses dernières années, ne pouvait se permettre de faire d'inutiles mécontents. Ces petits succès ne sauvèrent pas Renoir de la misère matérielle. Ses économies avaient fondu depuis longtemps. Son ami Bazille, qui jouissait d'une certaine aisance, l'hébergeait dans son atelier, et pour gagner quelques sous, ils peignaient tous les deux des cartes postales. Au cours de l'été 1867, Renoir planta de nouveau son chevalet dans la forêt de Fontainebleau. Il avait pour modèle Lise Tréhot, qui était alors âgée de 19 ans (p. 14). En 1869, Renoir passa l'été avec elle chez ses parents, à Ville d'Avray, aux portes de Paris. Il portait quelquefois de la nourriture à Bougival, où Monet vivait dans le plus grand dénuement. Renoir n'était cependant guère mieux loti : « On ne bouffe pas tous les jours, c'est vrai, seulement je suis tout de même content », écrivit-il à Bazille. Ce que Renoir et Monet trouvaient de plus insupportable dans toute cette misère, c'était le fait de ne pouvoir, faute d'argent, acheter les couleurs dont ils avaient besoin. Car durant ces quelques mois où Renoir se rendit fréquemment à Bougival, ils travaillèrent tous les deux sans jamais se lasser sur les bords de la Seine, s'installant devant le même motif, l'établissement de bains de la Grenouillère. Il est profondément émouvant de voir comment ces deux jeunes peintres, confrontés à une misère matérielle épuisante, se sont tournés ensemble vers un monde d'images toujours plus lumineuses ; rejoignant en cela Sisley et Camille Pissarro qui, eux aussi, devaient âprement lutter pour survivre, jamais ils ne peignirent, ni au cours de cette année-là ni lors de celles qui suivirent, un seul tableau exprimant la lassitude ou l'angoisse de vivre, et rejetèrent résolument toute représentation du désespoir ou de l'accablement.

« Monet nous invitait de temps en temps à dîner. Alors, nous nous gavions de dinde farcie et de Chambertin. »

PIERRE-AUGUSTE RENOIR

Renoir

La nouvelle peinture
1867 – 1871

Tous ces jeunes peintres se battaient pour imposer de nouveaux principes artistiques. Lorsqu'ils séjournaient à Paris, ils se retrouvaient le soir au café Guerbois, dans la grande rue de Batignolles, pour des discussions souvent orageuses. On commençait à les appeler « les peintres des Batignolles ». Manet était le personnage central de cette petite société, qui regroupait également des écrivains et des critiques, comme Zola, Théodore Duret, Zacharie Astruc ou Edmond Duranty. Maigre et nerveux, le jeune Renoir n'avait rien d'un meneur de débats. Il était vif, intelligent et plein d'humour ; mais il n'avait de goût ni pour les joutes oratoires ni pour les théories. Pour lui, l'art de peindre n'était pas la mise en pratique d'un programme rigoureux, mais un bel artisanat qu'il importait de pratiquer avec plaisir et simplicité.

Ses tableaux le classaient cependant parmi les plus novateurs. Son principe fondamental était de ne peindre que ce qu'il voyait et de rendre ce qu'il voyait le plus fidèlement possible. À cet égard, il adoptait la voie dans laquelle s'étaient engagés les peintres de Barbizon, Courbet ou encore Millet, le portraitiste de la paysannerie. Mais leurs toiles, peintes en général à la lumière de l'atelier, ne pouvaient reproduire cette luminosité qui n'appartient qu'aux objets à l'extérieur, en pleine lumière ; et dans leurs efforts pour restituer une image de plus en plus fidèle de la nature, les peintres se heurtaient au problème des ombres colorées. Une observation plus poussée leur permit de découvrir la richesse de ces tons que l'ombre recèle au même titre que la lumière, et parmi lesquels le bleu occupe une place prépondérante. Cette découverte présupposait que l'on travaillât en contact direct avec le motif pictural choisi ; c'est la raison pour laquelle Renoir et Monet travaillèrent en plein air, observant la lente métamorphose que les évolutions de la lumière et leurs répercussions sur l'environnement faisaient subir aux choses et aux couleurs. Ils constatèrent que les vibrations de l'air diluaient les contours apparemment fixes des objets et virent qu'il était impossible de distinguer chaque détail avec le même degré de précision. Leur découverte, ils la durent surtout à la fréquentation des objets qui s'y prêtaient : feuillages et fleurs, eau et bateaux, nuages et fumée, vêtements vaporeux que portaient alors les femmes ou encore ombrelles aux couleurs tendres ; mouvements spontanés des êtres. En matière d'art, toute règle contraignante, tout respect des traditions leur répugnaient. Ils quêtaient la beauté au cœur même de la vie des gens qui les entouraient, là où elle s'épanouissait dans sa plus totale liberté : l'intimité de la famille, à la promenade ou au jeu. Ils la recherchaient également dans les aspects les plus nouveaux de la vie contemporaine, les activités sportives ou le monde des grandes cités, alors en pleine mutation.

Nu féminin debout, 1919
Dessin à la craie, 37,3 x 29,8 cm
Ottawa, National Gallery of Canada

PAGE DE GAUCHE :
Le ménage Sisley, 1868
Huile sur toile, 105 x 75 cm
Cologne, Wallraf-Richartz-Museum

Odalisque (Femme d'Alger), 1870
Huile sur toile, 69 x 123 cm
Washington, D.C., National Gallery of Art, Chester Dale Collection

Le premier chef-d'œuvre de Renoir, ce fut *Lise* ou *La Femme à l'ombrelle,* qui fut exposé au Salon au cours du printemps suivant (p. 14). Il a peint sa jeune amie en pied, grandeur nature, comme s'il s'agissait d'un portrait officiel. « L'effet est si naturel et si vrai qu'on pourrait très bien le trouver faux, on est si accoutumé à ce que la nature soit représentée dans des couleurs conventionnelles », écrivit W. Bürger-Thoré ; Astruc, lui, vit en Lise une « fille du peuple typiquement parisienne ». Trois ans plus tard, Renoir prit Lise pour modèle de *L'Odalisque* (p. 18), une œuvre impressionnante, conforme, dans la lignée des *Algériennes* de Delacroix, aux principes de la peinture orientaliste en vogue à cette époque. Renoir fit des époux Sisley un portrait qui ne mesure en hauteur que la moitié de leur grandeur réelle (p. 16). Le regard et la robe de la femme font d'elle sans conteste la figure principale de ce tableau. La disposition des lignes de force et la répartition des surfaces colorées ont été mûrement réfléchies et témoignent d'un respect attentif des règles de composition telles que Renoir avait pu les étudier au contact des chefs-d'œuvre du Louvre. Par contre, le jeu des reflets de la lumière et des couleurs s'y épanouit avec moins de force que dans le portrait de *La Femme à l'ombrelle,* et la fusion des personnages avec leur environnement naturel s'y révèle moins sensible que dans les vastes paysages qu'il a pu peindre par ailleurs. On peut en outre constater que c'est à la fois de façon plus souple dans le détail et avec un grand souci de rigueur géométrique, que Renoir a composé une vue fragmentaire du cœur de Paris ; on y reconnaît l'Académie, le quai d'amarrage des bateaux à vapeur et l'architecture métallique moderne du Pont des Arts (p. 15).

C'est dans les tableaux élaborés sur le thème de la Grenouillère que le travail conjoint de Monet et de Renoir trouve sa plus belle expression. On en connaît aujourd'hui trois de Monet et trois de Renoir (p. 19), et il est quasiment impossible de distinguer les deux factures l'une de l'autre. La foule qui se presse sur la rive ou sur le ponton, les canots, les cabines de bain et les nageurs, mais surtout le scintillement de

« Encore une chose, dans Velázquez, qui me ravit : cette peinture qui respire la joie que l'artiste a eue à peindre ! […] Quand je vois, chez un peintre, la passion qu'il a ressentie à peindre, il me fait jouir de sa propre jouissance. »
PIERRE-AUGUSTE RENOIR

l'eau, les reflets colorés du ciel et de la terre, y ont été exécutés à la façon d'une esquisse, à larges coups de pinceau. Ces toiles sont exemptes de toute composition au sens traditionnel du terme : elles sont aussi turbulentes que la foule de ces plaisanciers, dont les nouvelles de Guy de Maupassant nous dépeignent le comportement.

L'« impression de la nature », le leitmotiv favori des discussions au café Guerbois, se voit ici traduit sur un mode pictural. Une fois que l'on avait renoncé à peindre des Diane au bain pour accorder la préférence à ce genre de scènes, il est évident qu'il fallait inventer une approche technique différente. L'inverse n'en est pas moins vrai : l'expérimentation de nouveaux modes de représentation incitaient les artistes à rechercher des thèmes qui leur fussent davantage appropriés. Ce qui importait désormais, c'était de trouver les moyens de fixer immédiatement et, comme fortuitement, l'impression produite par un moment banal mais charmant. Dans un monde qui ne cessait de bouger et où la lumière était sujette à d'inexorables variations, il fallait en quelque sorte capturer ce que l'impression a de fugitif, utiliser des couleurs dont le rayonnement restituerait jusqu'à l'intérieur des maisons la douceur d'un jour d'été. Ces tableaux anticipaient la naissance de ce qui ne trouverait son nom que cinq ans plus tard : l'impressionnisme.

« Un beau matin, l'un d'entre nous n'eut plus de noir, et l'impressionnisme est né. »
PIERRE-AUGUSTE RENOIR

La Grenouillère, 1869
Huile sur toile, 66 x 86 cm
Stockholm, Statens Konstmuseer

La grande décennie de l'impressionnisme
1872 – 1883

Au printemps de l'année 1870, Renoir et presque tous ses amis participèrent au Salon. Mais la guerre contre la Prusse et ses alliés éclata en juillet. Renoir fut appelé sous les drapeaux, dans le corps des cuirassiers. Napoléon III et ses armées furent battus, et la République proclamée. Au printemps de l'année 1871, on assista à Paris à un soulèvement de travailleurs, d'artisans, mais aussi de nombreux intellectuels et artistes, qui érigèrent la Commune en gouvernement révolutionnaire. Cette première tentative pour fonder un nouvel État fut réprimée dans le sang. Renoir ne prêta que peu d'attention à ces événements dramatiques. Mais cette révélation brutale du conflit qui opposait bourgeoisie et prolétariat entraîna une modification durable de la situation et du climat intellectuel. Elle eut des répercussions directes et indirectes sur l'évolution ultérieure de Renoir, et plus généralement sur celle de toute la nouvelle peinture.

Lorsqu'en 1872, Renoir proposa de nouveau une de ses œuvres au Salon, ses *Parisiennes habillées en Algériennes* (Tokio, National Museum of Western Art), inspirées de Delacroix, furent refusées. L'expérience révolutionnaire de l'année précédente n'avait fait que renforcer la méfiance de la grande bourgeoisie envers toutes les formes de modernité. Cela ne s'améliora pas au cours des années suivantes. Pourtant, c'est dans cette période de vache maigre que ces peintres, âgés de 30 à 40 ans, formèrent leur groupe. En butte à l'hostilité, aux vexations et aux moqueries de la critique officielle, ne possédant souvent, comme Renoir, aucune sorte de biens héréditaires et contraints de traverser des périodes de misère noire, ils fondèrent une véritable unité de combat artistique, qui leur permit d'innover, d'élaborer leur propre style, et d'en développer toutes les virtualités. C'est au cours de ces années que les œuvres les plus achevées de l'impressionnisme français virent le jour, et que Renoir en particulier fit s'épanouir le charme profond de sa peinture, exploitant au mieux sa puissance de travail et la richesse productive de son imagination. Comparées aux toiles des années soixante, encore tâtonnantes et influencées par des maîtres plus anciens, ou à celles de la fin des années 1880, limitées à un nombre de thèmes restreint et à la monotonie d'infinies variations, les œuvres réalisées entre 1872 et 1883 le montrent à l'apogée de son talent. Presque tous les tableaux exécutés au cours de cette période sont à leur façon des chefs-d'œuvre.

Chose étonnante, les années qui suivirent la défaite et la Commune furent pour la France des années de grande prospérité. L'économie était florissante, les tableaux virent leur valeur marchande s'accroître, et même les toiles impressionnistes furent quelquefois vendues pour des sommes étonnamment élevées. Un homme brassa

« Aujourd'hui, on veut tout expliquer. Mais si on pouvait expliquer un tableau, ce ne serait plus de l'art. Voulez-vous que je vous dise quelles sont pour moi les deux qualités de l'art ? Il doit être indescriptible et inimitable […] L'œuvre d'art doit vous saisir, vous envelopper, vous emporter. C'est le moyen pour l'artiste d'exprimer sa passion. C'est le courant qui jaillit de lui, qui vous emporte dans sa passion. »
PIERRE-AUGUSTE RENOIR

PAGE DE GAUCHE :
La Promenade, 1870
Huile sur toile, 81 x 65 cm
Los Angeles, The J. Paul Getty Museum

Madame Monet étendue sur un sofa, 1872
Huile sur toile, 54 x 73 cm
Lisbonne, Museu Calouste Gulbenkian

beaucoup d'argent et contribua largement aux premiers succès des peintres des Batignolles : Paul Durand-Ruel. Il avait repris en 1862 la galerie de son père et s'était battu avec flair et habileté pour faire reconnaître du public les peintres de Barbizon. La vente de leurs tableaux lui permit de faire de belles affaires. Mais il fit en l'occurrence preuve de beaucoup de courage et de discernement. Il se pencha sur les peintres rejetés par la critique officielle et, des années durant, s'efforça patiemment de placer leurs œuvres auprès des acheteurs, bien qu'il n'ignorât pas qu'il lui faudrait attendre encore longtemps avant de réaliser des bénéfices substantiels. En 1870, il avait fait à Londres la connaissance de Pissarro et de Monet, qui s'y étaient réfugiés, et c'est en 1873 qu'il découvrit Renoir. Certes, il ne payait pas cher les tableaux, d'ailleurs quasiment invendables, des jeunes rebelles ; mais pour un homme dans la situation de Renoir, la moindre vente était d'une importance capitale.

En 1873 pourtant, Durand-Ruel se vit contraint de réduire l'aide qu'il apportait à Renoir et à ses amis. Le pays traversait une crise économique grave dont son commerce fut lui aussi affecté. Pour faire connaître et vendre leurs toiles, les peintres étaient désormais dans l'obligation de faire quelque chose par eux-mêmes. Ils fondèrent alors une « société anonyme coopérative » et, le 15 avril 1874, ils inauguraient leur propre exposition, qui eut lieu boulevard des Capucines, dans des locaux que le photographe Nadar venait de libérer. Renoir présentait là six tableaux et un pastel. Le 25

PAGE DE GAUCHE :
La Loge, 1874
Huile sur toile, 80 x 64 cm
Londres, Courtauld Institute Galleries

Le Jardin à Fontenay, 1874
Huile sur toile, 51 x 62 cm
Winterthur, collection Oskar Reinhart, « Am Römerholz »

avril, le critique Louis Leroy faisait paraître dans *Le Charivari*, journal satirique qui avait publié pendant quarante ans les lithographies de Daumier, un article sur l'« Exposition des impressionnistes ». Rédigée sur un ton mordant et ironique, sa critique soulignait la mollesse du dessin, blâmait le barbouillage des couleurs; Monsieur Leroy ne comprenait pas que l'on attachât aussi peu d'importance aux détails: les tableaux étaient exécutés avec négligence et l'exposition était « à faire dresser les cheveux sur la tête ». Enfin, concluait-il, il semblait que l'idéal de ces nouveaux peintres fût contenu dans le seul mot d'« impression ».

La « nouvelle école » venait d'être baptisée. D'autres critiques reprirent à leur compte le terme d'« impressionnistes », qui s'appliquait si bien à ces jeunes peintres dont le but depuis de nombreuses années était de restituer dans leurs tableaux la vivacité des impressions éprouvées. L'exposition du boulevard des Capucines n'améliora pas la situation de ceux qui y avaient participé. On les traita de fous ou de bouffons, on voulut voir dans leurs tableaux des barbouillages dénués de sens et on interpréta leur démarche comme une négation de la beauté. Mais ils ne se laissèrent pas détourner de la voie qu'ils avaient choisie. Monet trouva un logement à Argenteuil, sur les

Chemin montant dans les hautes herbes, vers 1872–1875
Huile sur toile, 60 x 74 cm
Paris, Musée d'Orsay

bords de la Seine, et c'est à ses côtés que Renoir, et un peu plus tard Manet, peignirent en plein air quelques-unes de leurs toiles les plus ensoleillées. Un de leurs voisins, ingénieur et architecte naval, également peintre à ses heures, était propriétaire de plusieurs voiliers. Riche et célibataire, il ne se contenta pas de les convier à faire un peu de voile : il leur acheta des toiles. Il s'appelait Gustave Caillebotte et, à sa mort qui survint en 1894, il légua à l'État français ses tableaux, au nombre desquels figuraient six Renoir peints en 1875-76 (dont le *Nu au soleil* et *Le Bal du Moulin de la Galette*).

Quelque temps auparavant, Renoir avait fait la connaissance de l'écrivain Théodore Duret, qui devait consacrer en 1878 une première étude un peu approfondie aux intentions et aux réussites des peintres impressionnistes. C'est en tant qu'acquéreur de leurs toiles qu'il entra en contact avec eux. Entre autres tableaux, il acheta *La Femme à l'ombrelle* pour la somme de 1200 francs, et cette vente tomba à point nommé pour permettre à Renoir de s'offrir un meilleur atelier. Mais ces joies ne faisaient jamais long feu. Les artistes durent dissoudre leur société à perte.

C'est en avril 1876 que fut organisée la seconde exposition groupée des impressionnistes : cette fois, elle eut lieu à la galerie Durand-Ruel, rue Le Peletier. Renoir y participait avec 15 toiles, dont six appartenaient déjà à Victor Chocquet, un nouvel admirateur de son talent. Albert Wolff, critique influent, écrivit dans les colonnes du *Figaro* : « Cinq ou six aliénés [...] atteints de la folie de l'ambition [...] s'y sont donné rendez-vous pour exposer leurs œuvres. Il y a des gens qui pouffent de rire devant ces choses ». Mais il se trouva aussi des gens pour défendre l'impressionnisme. Edmond Duranty, écrivain réaliste, publia sous le titre *La Nouvelle Peinture* une brochure dans laquelle il prenait position en faveur d'un art représentatif de la vie quotidienne contemporaine, de la création en plein air et de l'immortalisation de l'instant. Renoir fit la connaissance de Georges Charpentier, l'éditeur de Zola, qui lui commanda plusieurs tableaux : un portrait de son épouse et de ses enfants, ainsi que plusieurs panneaux décoratifs. L'argent ainsi gagné lui permit de louer une maison à Montmartre, où il utilisa son jardin en friche comme atelier de travail en plein air.

C'est en avril de l'année suivante, c'est-à-dire en 1877, que les impressionnistes mirent sur pied leur troisième exposition de groupe ; pour se désigner, ils eurent pour la première fois recours au surnom moqueur dont on les avait affublés. Caillebotte loua pour eux quelques pièces dans la rue Le Peletier ; c'est à lui et à Renoir qu'incomba

La Cueillette des fleurs, vers 1878 – 1890
Huile sur toile, 51 x 63 cm
Washington, D.C., National Gallery of Art, Ailsa Mellon Bruce Collection

À GAUCHE :
La Liseuse, vers 1874
Huile sur toile, 45 x 37 cm
Paris, Musée d'Orsay

À DROITE :
Jeune fille lisant, 1880
Huile sur toile, 55 x 46 cm
Paris, Musée d'Orsay

l'essentiel des préparatifs. Renoir exposa plus de 20 tableaux, dont *La Balançoire* et *Le Bal du Moulin de la Galette* (p. 34 – 35 et p. 37). Chocquet discutait avec les visiteurs de l'exposition et Georges Rivière, un nouvel ami de Renoir, publia sous le titre *Impressionnisme, journal d'art* une petite brochure qui défendait la nouvelle peinture. Mais les critiques des grands journaux ne cessèrent pas pour autant leur persiflage, et rien ne se vendit.

L'année suivante, Renoir se résigna à envoyer au Salon une toile de facture plutôt modérée. *La Tasse de chocolat,* un charmant portrait de femme, fut acceptée. Comme il le dit lui-même, il n'avait entrepris cette démarche que dans un but commercial : à cette époque, la condition sine qua non pour vendre ses tableaux était d'avoir préalablement participé au Salon. Mais même si à travers cette toile Renoir s'était efforcé d'atteindre un compromis, il n'avait pas complètement renié ses idéaux ; cette remarque vaut également pour le portrait de *Madame Charpentier et ses enfants* qu'il exposa au Salon de 1879 et qui lui ouvrit définitivement la voie du succès. Charpentier lui offrit la possibilité d'organiser une exposition individuelle de pastels. Cette manifestation artistique attira sur lui l'attention d'autres mécènes, en particulier celle du diplomate Paul Bérard ; au cours des années suivantes, il lui arriva à plusieurs reprises de séjourner et de travailler dans la propriété de ce dernier, à Wargemont, près de Berneval en Normandie. Il ne participa pas aux expositions impressionnistes des années 1879, 1880 et 1881. Certaines divergences étaient apparues entre lui et ses anciens compagnons d'armes, dont il est vraisemblable qu'elles étaient entre autres de nature politique. Il abominait l'« anarchisme » de certains peintres comme Jean François Raffaëli ou Armand Guillaumin, mais il ne partageait pas non plus les idées socialistes de Pissarro. Aigri, Edgar Degas affichait à l'égard du public un mépris agressif qui lui était tout aussi étranger.

« [...] mon souci a toujours été de peindre des êtres tels de beaux fruits, et le plus grand des peintres modernes, Corot, voyez si ses femmes sont des "penseuses" ? »
PIERRE-AUGUSTE RENOIR

« Je dispose mon sujet comme je le veux, puis je me mets à le peindre, comme un enfant. Je veux qu'un rouge soit sonore et résonne comme une cloche ; si ce n'est pas cela j'ajoute encore des rouges et d'autres couleurs jusqu'à ce que j'y arrive. Je ne suis pas plus malin que ça. Je n'ai ni règles ni méthodes ; n'importe qui peut examiner ce dont je me sers ou regarder comment je peins – il verra que je n'ai pas de secrets. »

PIERRE-AUGUSTE RENOIR

En 1881, la vente de ses toiles lui permit pour la première fois d'entreprendre quelques voyages. Il partit en mars pour Alger, dont le soleil incandescent et la splendeur colorée exerçaient sur lui une attraction tout aussi puissante que celle qu'ils avaient exercée un demi-siècle plus tôt sur son maître Delacroix. Au cours de l'automne et de l'hiver qui suivirent, il visita Venise où l'eau et la lumière le charmèrent profondément (p. 56 et 57). À Rome, il fut impressionné par le style rigoureux des fresques de Raphaël et, à Pompéi, il admira les peintures murales des demeures antiques dont la tonalité tendre et dynamique tout à la fois évoqua pour lui celle des tableaux de Corot. À Palerme, en Sicile, il fit un portrait de Wagner, qu'il admirait ; le compositeur le traita d'ailleurs avec un rare manque de patience. Lors d'un séjour qu'il fit en Provence chez son ami Paul Cézanne, il contracta une pneumonie qu'un nouveau voyage à Alger lui permit de guérir.

Entre-temps, 25 de ses toiles avaient été présentées au public lors de la septième exposition du « groupe des peintres indépendants, réalistes et impressionnistes », qui eut lieu en avril 1882. Parmi elles figuraient le *Déjeuner des canotiers* ainsi que des vues de Venise. Mais Renoir n'était pas complètement revenu sur ses réticences à l'égard des « indépendants » ; c'est pourquoi il demanda que l'on mentionnât expressément que les œuvres exposées avaient été fournies par son galeriste Durand-Ruel et non par lui-même. Durand-Ruel, qui devait faire face aux conséquences d'une nouvelle crise économique, avait grand besoin de cette exposition ; des cercles de plus en plus larges étaient peu à peu gagnés à la cause des nouvelles conceptions picturales. C'est donc sans crainte des retombées possibles que, parallèlement, Renoir put entre 1878 et 1883 continuer d'exposer chaque année ses toiles au Salon. Il se libéra ainsi de cette réputation de révolutionnaire qui, selon ses propres dires, n'était pas sans l'effrayer. En avril 1883, Durand-Ruel organisa dans sa nouvelle galerie du boulevard de la Madeleine une exposition consacrée uniquement à Renoir. À la fin de l'été de cette même année, Renoir partit peindre sur l'île anglo-normande de Guernesey. Au cours de l'hiver, il alla avec Monet à Gênes, puis il passa quelque temps chez Cézanne, à L'Estaque, sur la Côte d'Azur. Hiver comme été, il ferait désormais de fréquents séjours hors de Paris. Il se rendrait souvent sur les côtes normande, bretonne ou méditerranéenne, mais aussi à Essoyes, en Bourgogne, d'où était originaire Aline Charigot, un charmant petit modèle qu'il épouserait en 1890.

Vers 1884 – 85, un tournant s'amorça dans la manière de peindre de Renoir : de nouveaux éléments picturaux firent leur apparition. Cette sorte de rupture avec le passé mérite d'être traitée dans un chapitre à part. Mais nous devons tout d'abord examiner d'un peu plus près la richesse et le caractère exceptionnel de cette période dont nous venons d'exposer les données biographiques : période qui fut celle du triomphe de l'impressionnisme.

PAGE DE DROITE :
La Première Sortie, vers 1875 – 1876
Huile sur toile, 65 x 50 cm
Londres, The National Gallery

Renoir.

Les chefs-d'œuvre de l'impressionnisme réaliste

Renoir rendit compte de la réalité telle qu'il la voyait et l'approuvait. Il dépeignit le bonheur de vivre des gens aisés dont il devait s'attirer la sympathie pour pouvoir vivre de son art, et les joies de la bohème petite-bourgeoise à laquelle il appartenait et dont les moeurs plutôt rangées n'évoquent rien de dramatique ni de révolté. Ses tableaux ne peuvent prétendre avoir saisi la totalité de ce qui faisait la réalité sociale; et pourtant, ils nous semblent mériter le qualificatif de réalistes en ce sens qu'ils sont nés d'une confrontation honnête avec le monde dans lequel le peintre vivait. Ils en éclairèrent de nouveaux aspects dont la réalité objective échappait jusque-là à la conscience du public et, mettant sans hésiter l'accent sur une approche sensuelle du réel, ils aidèrent ceux qui les regardaient à appréhender et à apprécier d'une manière nouvelle leur existence ordinaire. Des caractéristiques importantes de l'existence humaine, dont la pérennité s'étend bien au-delà des quelques années dont nous parlons, se virent ainsi pour la première fois traduites sur un mode esthétique.

L'œuvre de Renoir s'articule autour de plusieurs grands thèmes. Les portraits et les personnages isolés, traités eux aussi à la manière de portraits, y côtoient les scènes de théâtre, de danse et les représentations de la vie sociale en général; les excursions au grand air, les paysages, font pendant à l'animation des grandes villes. Ses toiles révèlent son extraordinaire capacité à rendre le charme féminin – plus encore: à saisir l'infinie variété des nuances enchanteresses que recèle un corps de femme. Il n'a jamais cessé d'exprimer, et de façon magistrale, le ravissement que lui inspirait la beauté féminine et a su faire partager au spectateur le bonheur de son expérience visuelle. Certes, il s'agit là d'une vision bien limitée de l'existence humaine car on ne trouve chez Renoir aucune femme triste, irritée, vieille ou laide; les caractères qu'il dépeint n'ont rien de très profond, ni de très tourmenté; quant aux personnages masculins, ils y ont presque toujours quelque chose de tendre, de féminisé. Mais nul autre n'a su mieux que Renoir, formé à l'école des maîtres galants du rococo, rendre sur les visages et dans les attitudes de ses personnages, le sourire du bonheur, la douceur pétillante de l'amour, ou le plaisir que l'on éprouve à mener une vie agréable et sans soucis.

Il y avait à son époque beaucoup de «peintres de dames», qui étaient en réalité des techniciens versés dans la pratique de l'artisanat pictural et habiles à flatter le goût bourgeois. Sous leur pinceau, les épouses de banquiers se métamorphosaient en princesses de la Renaissance ou prenaient des allures d'excitantes séductrices. Ils peignaient les étoffes précieuses des vêtements, les pièces de mobilier, les visages, avec

Nu féminin assis
Craie noire
New York, collection particulière

«Essayez donc d'expliquer à M. Renoir que le torse d'une femme n'est pas un amas de chairs en décomposition avec des taches vertes, violacées, qui dénotent l'état de complète putréfaction dans un cadavre! [...] Et c'est cet amas de choses grossières qu'on expose en public, sans songer aux conséquences fatales qu'elles peuvent entraîner [...]»
ALBERT WOLFF DANS *LE FIGARO*, 1876

PAGE DE GAUCHE:
Étude ou Torse: effet de soleil, 1875
Huile sur toile, 80 x 64 cm
Paris, Musée d'Orsay

Femme dans un fauteuil à bascule, 1883
Craie et mine de plomb, 36,2 x 31 cm
Chicago, The Art Institute of Chicago

« Pour moi, un tableau de chevalet […] doit être une chose aimable, joyeuse et jolie, oui jolie. Il y a dans le monde assez de choses tristes pour que nous n'ayons pas besoin d'en fabriquer davantage. »

PIERRE-AUGUSTE RENOIR

PAGE DE DROITE :
L'Enfant à l'arrosoir, 1876
Huile sur toile, 100 x 73 cm
Washington, D.C., National Gallery of Art, Chester Dale Collection

une complaisance sans âme, stéréotypée, qui avait quelque chose de morbide. Dans les tableaux destinés à assurer sa subsistance, Renoir n'a pas toujours su éviter les pièges de la superficialité. Mais s'il lui était parfaitement possible de rendre avec virtuosite l'éclat de la soie ou de velours, il n'en reste pas moins que là où son cœur était de la partie, sa naïveté et son sens du naturel le préservaient de souscrire aux facilités de la mode. Ce qui distingue ses tableaux des autres du même genre, c'est une observation rigoureuse de la réalité et un éloge de la beauté simple, fraîche, pure, là où l'on était habitué à ne rencontrer que des poses étudiées.

Ses meilleurs tableaux sont ceux qui représentent des gens avec lesquels il était personnellement lié, comme par exemple Monet ou la femme de ce dernier, Camille. Léger comme une esquisse, le portrait de Madame Monet nous la montre sur fond de canapé blanc, habillée d'une robe d'intérieur bleu ciel et plongée dans la lecture du *Figaro* (p. 23). Seuls les bruns de la chevelure et des yeux viennent ponctuer l'harmonie évanescente des coloris estivaux. Les impressionnistes aimaient à surprendre leurs modèles au sein de leur univers privé, à les peindre dans des poses légères dont le spectacle était en réalité réservé aux seuls intimes de la maison. C'est pour le caractère vivant et naturel de ces motifs-là qu'ils abandonnèrent les règles classiques, équilibrées, de la composition picturale et que, par leurs asymétries, ils mirent l'accent sur la dimension fortuite et momentanée de l'instant qu'ils représentaient.

Cette conception de l'art reste sensible jusque dans les tableaux pour lesquels Renoir devait tenir compte des exigences de représentation de ses commanditaires. C'est particulièrement vrai dans le cas du portrait qu'il fit de Madame Charpentier et de ses enfants (p. 42/43). L'épouse de l'éditeur, une dame distinguée et intelligente, y adopte une pose d'une nonchalance étudiée ; endimanchés, les enfants qui figurent à ses côtés ne dépareraient pas une exposition de poupées. Mais il reste dans leur maintien et dans l'expression de leurs visages quelque chose du charme insouciant de l'enfance. Du point de vue de la structure, la pyramide oblique que constituent les personnages et le saint-bernard transforme un schéma classique de composition en une innovation extravagante. À droite au premier plan s'étale un espace vide aux dimensions surprenantes, qui engendre au sein même de la composition un rapport de tension basé sur l'asymétrie ; il trahit, au même titre que la laque dorée et les paons du grand paravent, la prédilection qu'affichaient à cette époque les tenants de l'esthétique moderne pour l'art japonais et ses effets décoratifs appuyés.

Renoir ne souscrivit par ailleurs pas à l'engouement pour le « japonisme » ; mais comme il lui fallait ici rendre l'intérieur de Madame Charpentier, il lui fut impossible d'y échapper. Il associa l'éclat du paravent à la splendeur colorée des rideaux, des fleurs, du sofa et des habits d'enfant, fondant le tout en une nature morte d'un grand raffinement, d'où se détachent comme une note plus forte les accents contrastés de l'habit noir et blanc de Madame Charpentier ou encore du pelage du chien. Chez Renoir, le blanc et le noir ne sont jamais traités comme des couleurs mortes et immuables. Au contraire : grâce à un mélange de rouge et de bleu, il savait conférer au noir, fréquemment présent dans les habits de cette époque, des apparences extraordinairement vivantes. Faisant allusion à un mot de Tintoret, il allait même jusqu'à appeler le noir la reine des couleurs.

Dans le portrait Charpentier, les enfants sont ce qu'il y a de plus naturel. Au cours de ces années-là, Renoir peignit de nombreux portraits d'enfants. Il avait une attirance particulière pour la pureté rêveuse et la bonté qu'expriment leurs yeux, et un

Le Bal du moulin de la Galette, 1876
Huile sur toile, 131 x 175 cm
Paris, Musée d'Orsay

« J'avais eu la chance de trouver au Moulin de la Galette des fillettes qui ne demandaient pas mieux que de poser, comme les deux qui sont au premier plan de mon tableau. L'une d'elles, pour les rendez-vous à l'atelier, m'écrivait sur du papier doré sur tranches. Et c'était la même que je rencontrais portant des pots de lait dans Montmartre. J'appris un jour qu'elle avait une petite garçonnière que lui avait meublée un abonné de l'Opéra, sauf que sa mère y avait mis cette condition qu'elle ne lâcherait pas son métier. J'avais craint tout d'abord que les amants, plus ou moins de cœur, de ces modèles que je dénichais au Moulin de la Galette n'empêchassent leurs "femmes" de venir a l'atelier. Mais eux aussi étaient de bien bons bougres. Je pus même en faire poser quelques-uns. Il ne faut pas croire toutefois que ces filles se donnaient à qui voulait. Il y avait, parmi ces enfants lâchées dans la rue, des vertus farouches. »

PIERRE-AUGUSTE RENOIR

sens aigu des coloris dont se compose la fraîcheur des teints enfantins ; mais il était également sensible à la personnalité capricieuse de mainte jeune demoiselle, trait qui ne caractérisait pas seulement les filles de la bonne bourgeoisie parisienne.

Aux portraits que Renoir consacrait à ses amis ou à ses commanditaires, vient s'ajouter un nombre important de tableaux et d'études pour lesquels il s'inspirait la plupart du temps de modèles professionnels. Représentant des contemporains anonymes, ils sont à ranger dans la catégorie des tableaux de genre ou des portraits-types, bien qu'en réalité la conception dont ils relèvent diffère à peine de celle qui sous-tend les portraits proprement dits. Il s'agit presque uniquement de femmes : elles plaisaient à Renoir, et ce genre de tableaux se vendait facilement. *La Liseuse* (p. 27) relève de cette catégorie ; on y voit, assise près d'une fenêtre, une jeune femme blonde plongée dans la lecture d'un roman broché. Situé en contrebas, le papier dans un mouvement ascendant répercute sur son visage les reflets jaunes du soleil, de sorte que la clarté presque troublante qui vient baigner son visage et ses cheveux semble émaner de toutes les directions. S'opposant en cela aux techniques pré-impressionnistes, Renoir renonce ici à utiliser la lumière et les ombres pour modeler la plasticité du corps ; au contraire, il s'en sert pour en estomper les contours et les détails, de sorte qu'il ne reste plus, en fait de modelé, qu'une palpitation de jaunes et de rouges auxquels vient s'ajouter un noir aux multiples nuances.

Une des principales difficultés auxquelles les impressionnistes durent faire face était celle de traduire la façon dont la lumière du jour influe sur l'aspect du corps humain. Au cours de ces années-là, Renoir aborda ce problème notamment à travers la représentation du nu féminin. Sa plus grande réussite fut peut-être le portrait du modèle Anna, qu'il commença en 1875 dans les jardins de son atelier de la rue Cortot et qu'il présenta au public en 1876 à l'occasion de la seconde exposition impressionniste. Nue jusqu'à mi-corps, cette jeune femme aux proportions harmonieuses et représentée légèrement penchée, dans une attitude évoquant l'Aphrodite émergeant de l'eau de certaines sculptures grecques (p. 30). Ses longs cheveux châtains se répandent sur ses épaules, et le feuillage qui la protège projette sur son corps un ruissellement d'ombres et de taches lumineuses aux nuances vertes et violettes. Le fond de verdure luxuriante sur lequel elle se détache à la façon d'une fleur, n'est constitué que d'un entremêlement de touches jaunes, bleues et vertes, appliquées d'un pinceau rapide. Aucun tableau n'avait auparavant représenté avec une telle intensité la fusion de la nature, de la lumière et du corps humain. Ce résultat présupposait que l'on élaborât un nouveau rapport à la vie, au soleil et à l'air lui-même ; ce qui n'empêche d'ailleurs pas que ce tableau soit en outre évocateur des mythes antiques de la nature. Cette femme, dont le doigt et le poignet sont parés de bijoux précieux, semble tout à la fois fille et déesse de la nature : la peinture se fait ici poésie, formulant sur un mode nouveau un motif vieux comme le monde. Il n'était donc pas étonnant que la critique n'y comprît rien. Mais Caillebotte, lui, acheta le tableau.

Dans ses portraits, Renoir s'efforçait déjà de respecter au maximum le caractère spontané des attitudes adoptées par ses modèles, et de reproduire des situations types, même dissimulées sous des allures fortuites et momentanées ; mais dans ses tableaux de genre inspirés de l'existence bourgeoise, cette recherche d'une fidélité maximale à l'égard de la vie devint sa principale préoccupation. En matière de peinture, cette thématique n'était pas très appréciée. Dans les milieux de l'art, il était de bon ton de placer au premier rang les thèmes tirés de la mythologie et de l'histoire, ainsi que

PAGE DE DROITE :
La Balançoire, 1876
Huile sur toile, 92 x 73 cm
Paris, Musée d'Orsay

Renoir. 76

les représentations religieuses ou allégoriques; lorsqu'en dépit de cela on consacrait son talent à dépeindre des scènes de la vie populaire, il convenait de privilégier le pittoresque, si possible en provenance d'Italie ou d'Orient. Les membres des jurys, les visiteurs des expositions et les acquéreurs exigeaient immuablement que ces tableaux représentassent des événements captivants, amusants, ou tout au moins inhabituels; il importait que pour en rendre le piquant, le peintre eût recours à une disposition habile des personnages, ou à un jeu de mimiques particulièrement expressif. Le réalisme d'un Courbet, d'un Millet ou de leurs premiers disciples défendait le point de vue inverse qui voulait que la beauté des choses ordinaires, quotidiennes et simples fût digne d'être peinte; cela leur valut d'être décriés comme les tenants d'un « culte de la laideur ».

Comme quelques autres impressionnistes, Renoir prêta une attention particulière à ce qui selon lui faisait, dans cette capitale mondiale qu'était Paris, la beauté de la vie bourgeoise. Ses tableaux racontent eux aussi de petites histoires, mais elles sont, au contraire de celles dont nous avons parlé plus haut, empruntées au quotidien des Parisiens de son époque ou, encore mieux, à leurs dimanches. Ce sont des histoires très brèves: sténogrammes de ses propres expériences, ces scènes qui nous livrent les observations qu'il a pu faire sur ses concitoyens ont été saisies sur le vif et pêchées au fil du flot toujours plus rapide de la vie moderne. C'est à dessein que Renoir renonce à la séduction appuyée de l'extraordinaire. Il n'a jamais peint une seule toile dont le contenu visuel ne puisse, du moins dans son schéma général, se répéter des milliers de fois: l'unicité du motif au sens étroit du terme, n'était pas ce qui l'intéressait. C'est en ce sens que les impressionnistes ont découvert qu'il était possible de conférer à n'importe quel instant une valeur particulière et d'exprimer sur un mode artistique le fait que les choses soient en perpétuelle évolution. Ils ont pris note du charme propre aux événements momentanés et fugitifs.

Proche en cela de Degas, Renoir considérait également le théâtre et le cirque comme des lieux d'observation privilégiés. Il a fait d'une gracieuse ballerine ou des deux petites artistes du Cirque Fernando (p. 45) des portraits beaucoup plus aimables que ceux de Degas, en général trop sarcastiques. Mais il s'intéressait surtout aux spectateurs. Son tableau intitulé *La Loge* (p. 22) représente un couple dans l'attente du spectacle. Le cavalier, qui se trouve être Edmond, le frère de Renoir, se tient à l'arrière-plan, le visage à demi dissimulé par des jumelles de théâtre; désireuse de se montrer dans tout l'apparat de sa beauté, la femme occupe le devant de la loge. La simplicité de la pose qu'elle adopte est d'une facture presque classique. Les rayures de la robe guident notre regard jusqu'à son visage serein, distingué. Le rose pâle des camélias qui parent ses cheveux et son décolleté fait écho à celui de son teint poudré auquel la lumière froide de l'éclairage au gaz confère une très légère nuance de jaune et de vert. Ce tableau, pour lequel la jeune Nini Lopez servit de modèle, rend tout entier hommage au charme de la jeune femme; et même si Renoir s'est efforcé de tenir compte des désirs de représentation de son personnage féminin, le tout n'en reste pas moins d'une fraîcheur sans affectation.

Il nous semble aujourd'hui incompréhensible que des œuvres aussi raffinées et aussi subtiles aient pu se heurter un jour au rejet méprisant du public. Et pourtant, lorsqu'à l'occasion de la première exposition impressionniste Renoir mit cette toile en vente, il ne se trouva parmi tous les marchands de tableaux que « le père Martin » pour l'acquérir; il l'acheta 425 francs, somme dont Renoir avait un besoin plus

La Promenade, 1879
Pastel, 63 x 48,5 cm
Belgrade, Narodni Muzej

PAGE DE GAUCHE:
Femme à la voilette, 1875
Huile sur toile, [illegible] cm
Paris, Musée d'Orsay

Bords de la Seine à Champrosay, 1876
Huile sur toile, 55 x 66 cm
Paris, Musée d'Orsay

qu'urgent et dont il se servit pour éponger les dettes qu'il avait contractées à l'égard de son propriétaire. Quelque deux années plus tard, le peintre réalisa une autre loge de théâtre, connue sous le titre de *La Première Sortie* (p. 29). Une jeune fille se rend pour la première fois à l'Opéra. Bien que nous ne saisissions d'elle qu'un profil légèrement estompé, son maintien et l'expression de son jeune visage manifestent à la perfection l'émerveillement plein d'attente qu'elle éprouve. Sous ses yeux vibre la foule des spectateurs dont la cohue animée emplit peu à peu les loges voisines. Le sentiment piquant de prendre part à cette atmosphère de liesse, la conscience de vivre en cette époque férue de théâtre un événement d'importance, sont ici dépeints de façon magistrale. En dehors de la saison théâtrale, c'est-à-dire en été, les bourgeois et la bohème de Paris s'adonnaient à une autre sorte de divertissement : les excursions en plein air. À l'époque où il avait peint l'établissement de bains de la Grenouillère, Renoir s'était principalement concentré sur l'impression d'ensemble et sur les jeux de lumière. Il accorda désormais plus d'importance aux personnages eux-mêmes. Ses scènes de plein air nous montrent des jeunes gens souriants, groupés de façon informelle, occupés à flirter ou à bavarder ; baignés d'une luminosité aux nuances légèrement

Les Canotiers à Chatou, 1879
Huile sur toile, 81 x 100 cm
Washington, D.C., National Gallery of Art

jaunes, roses ou bleutées, ils jouissent du soleil et du grand air. À la raideur des attitudes et des compositions académiques, Renoir oppose ici une représentation de la vie réelle dont il s'applique à souligner la gaieté et la simplicité. Personne ne s'entendait mieux que lui à rendre tout le charme contenu dans l'inclinaison d'une jolie tête de femme, ou dans le mouvement par lequel un regard se dérobe; il était passé maître dans l'art d'exprimer l'enchantement que suscitait en lui un geste tendre ou le regard chaleureux et lumineux de deux sombres yeux de biche; il savait mieux que quiconque traduire le bonheur que l'on éprouve à se réunir entre amis ou amoureux. *La Promenade* (p. 20) et *La Balançoire* (p. 37) ont quelque chose de littéraire, et s'inscrivent dans la tradition des maîtres galants du 18e; mais ces tableaux n'en mettent pas moins l'accent sur la vibration des touches colorées, et sur les jeux de la lumière et de l'ombre.

Le chef-d'œuvre le plus important de cette période très fructueuse dans la vie de Renoir est peut-être encore *Le Bal du moulin de la Galette,* peint en 1876 (p. 34/35). On a été jusqu'à l'appeler le plus beau tableau du 19e siècle. Du haut de la butte Montmartre, située dans la partie nord-est de Paris, on a une vue splendide sur toute

« Comme c'est difficile de trouver exactement le point où doit s'arrêter dans un tableau l'imitation de la nature. Il ne faut pas que la peinture pue le modèle et il faut cependant qu'on sente la nature. »
PIERRE-AUGUSTE RENOIR

« Madame Charpentier me rappelle mes amou
de jeunesse, les modèles de Fragonard. Les petites filles avaient des fossettes ravissantes. On me félicitait. J'oubliais les attaques des journaux. J'avais de précieux modèles, pleins de bonne volonté. »

PIERRE-AUGUSTE RENOIR

Madame Georges Charpentier et ses enfants, 1878
Huile sur toile, 154 x 190 cm
New York, The Metropolitan Museum of Art, Catharine Lorillard Wolfe Collection, Wolfe Fund

Autoportrait, 1879
Huile sur toile, 38 x 31 cm
Williamstown, Sterling and Francine Clark Art Institute

la ville. Le peintre Georges Michel, en qui l'on reconnut plus tard un des précurseurs des peintres de Barbizon, avait au début du 19e siècle réalisé, entre autres paysages, une vue de Montmartre à l'époque où ce n'était encore qu'une colline herbeuse surmontée de moulins à vent. Ce village s'était entre-temps transformé en faubourg parisien, mais il conservait quelque chose de la simplicité campagnarde de ses origines : c'était un lieu d'excursion fort apprécié. Les terrasses des restaurants et les cabarets accueillaient une foule en quête de réjouissances, et Montmartre devint peu à peu célèbre pour ses plaisirs et pour ses artistes. Dans les années 1870, le Moulin de la Galette était une salle de bal que fréquentaient essentiellement la bohème et une petite-bourgeoisie peu exigeante. Des deux moulins, seul l'un fonctionnait encore de temps à autre (il servait à presser des racines d'iris dont le jus était utilisé en parfumerie), et on leur avait adjoint des débits de boissons de dimensions plus modestes ; dans le jardin, des tables et des réverbères au gaz complétaient l'installation.

Renoir dressa son chevalet entre les tables de ce jardin où l'on passait les après-midi d'été à boire, à danser et à flirter. Ses amis l'aidèrent à transporter son matériel depuis son atelier, situé non loin de là, et lui servirent aussi de modèles pour les personnages principaux. Parmi les figures attablées, on reconnaît les peintres Lamy, Gœneutte, et Georges Rivière, qui nous a laissé un compte-rendu fidèle de ces années-là, ainsi que les deux soeurs Estelle et Jeanne et d'autres jeunes filles de Montmartre ; au second plan, Renoir a représenté parmi les danseurs le peintre cubain Don Pedro Vidal, facilement reconnaissable à ses allures de dandy, et son amie Margot, modèle très apprécié ; tout au fond enfin, on entrevoit les peintres Gervex, Cordey, Lestringuez et Lhote. Cette toile nous donne l'impression que Renoir éprouvait une sympathie profonde chacun des personnages ou des objets qu'il y a pour représentés.

Ce tableau aux dimensions assez importantes donne au premier abord l'impression d'une confusion totale. C'est en 1877, à l'occasion de la troisième exposition impressionniste, qu'il fut présenté au public : les critiques d'art les plus écoutés crièrent au chaos. Cette impression tient à ce que la toile paraît dépourvue de toute composition : les personnages semblent avoir été répartis au petit bonheur ; à cela vient s'ajouter le fait que le premier plan et l'arrière-plan sont, d'un point de vue strictement technique, traités de la même façon, à coups de pinceau très légers ; cet effet d'uniformité est en outre renforcé par la dissolution des valeurs colorées « objectives » qui subissent les métamorphoses de la lumière filtrant à travers le feuillage situé en surplomb. L'ombre bleutée des arbres s'étend sur toute la surface du tableau, où elle se combine en de multiples variations avec le vert des feuilles, le jaune clair des chapeaux de paille, des chaises et des cheveux blonds, et le noir des costumes masculins. Les ronds de lumière que dessine la voûte feuillue, répandent leur tonalité rosée sur les visages, les vêtements et le sol. Tous les personnages baignent dans une atmosphère quelque peu poussiéreuse et dans les vibrations d'une lumière aussi vraie que nature, qui estompent les contours et les détails fixes auxquels les yeux des spectateurs de cette époque étaient habitués.

Cette impression de turbulence, conditionnée par le sujet choisi, a certainement été voulue par Renoir. Ces personnages se sentaient libres de se mouvoir comme bon leur semblait : comment aurait-il été possible de les faire rentrer dans les schémas prétendument classiques des poses contraintes ? Quant au cadrage apparemment contingent de l'image, qui découpe certains personnages situés aux extrêmes bords, il

PAGE DE DROITE :
Jongleuses au cirque Fernando, 1879
Huile sur toile, 130 x 98 cm
Chicago, The Art Institute of Chicago, Mr. and Mrs. Potter Palmer Collection

Portrait de Berthe Morisot et de sa fille, 1894
Pastel, 59 x 44,5 cm
Paris, Musée du Petit Palais

est tout aussi intentionnel : il suggère qu'à droite ou à gauche de l'image, qu'en amont ou en aval de l'instant choisi, une réalité similaire se déploie.

Mais qu'elle fût ou non agréée par la critique académiste, la composition de cette toile répondait en réalité à un grand souci de rigueur. Renoir a réparti ses personnages en deux cercles : l'un, plus compact et plus fermé, occupe, à droite près de la table, le premier plan ; l'autre, plus ouvert et plus large, est centré, à gauche au second plan, sur le couple de danseurs le plus proche, qui se trouve nettement mis en valeur. Il a consolidé cette composition en plaçant au premier plan, en plein milieu de la toile, une pyramide presque classique de trois personnages, et en introduisant dans le tableau une série de lignes verticales et horizontales. Les verticales sont fournies par les montants jaunes du dossier de la chaise qui figure au premier plan, par les danseurs et les personnages debout, par les arbres, les suspensions des lustres et les pieds des réverbères. Quant aux horizontales, elles sont, quoique moins nombreuses, nettement soulignées par la masse compacte des personnages à l'arrière-plan où pas une tête ne dépasse l'autre, par la ligne claire des globes de lustres et de lampadaires, ainsi que par le bois peint en blanc du bâtiment du fond. Elles restent cantonnées dans le tiers supérieur du tableau, c'est-à-dire au dernier plan ; elles n'interfèrent pas avec l'organisation plus lâche du premier plan où prédominent les courbes obliques des bras et des dos, mais elles stabilisent l'image qui semble pour ainsi dire suspendue à ces bandes horizontales. La trame grillagée qui sous-tend la structure du tableau permet au peintre une organisation plus souple des motifs qui lui sont surimposés.

Pour composer sa toile, Renoir s'est en outre aidé des couleurs qui, même si elles semblent ne dépendre que des incidences fortuites de la lumière, ont en réalité été réparties avec beaucoup de discernement. C'est la luminosité d'un noir teinté de bleu qui constitue la puissante tonalité de base du tableau : il peut se comparer au basso ostinato d'une harmonie musicale. À cela s'ajoute un jaune citron dont les accents très énergiques attirent le regard : captivé par le dossier de chaise et les cheveux de l'enfant au premier plan, celui-ci remonte ensuite le cours oblique des chapeaux de paille placés plus haut sur la droite. À gauche un peu plus loin, l'attention est attirée par le rose et le mauve que portent les deux danseuses : ces deux couleurs se retrouvent étroitement associées dans la robe à rayures du personnage central assis au tout premier plan, de sorte qu'elles semblent émerger de là pour ensuite se dissocier en deux robes de couleurs distinctes. Présents dans les taches de lumière et d'ombre, le rose et le mauve irradient en outre toute la moitié gauche du tableau. Un rouge de Sienne très beau et très lumineux est en outre réparti par petites touches isolées sur toute la surface du tableau, auquel il confère ainsi plus de feu.

Cette analyse formelle resterait très incomplète si elle ne prenait pas en considération la dimension pour ainsi dire psychologique de la composition. Les échanges de regards entre la belle dame blonde habillée de noir qui figure au centre du tableau, et le jeune homme assis sur la chaise de bois jaune au premier plan, dessinent une ligne quasi visible qui attire l'attention et sollicite l'imagination du spectateur ; cette ligne est d'ailleurs soulignée par le port de tête identique de la sœur assise en contrebas. Si on matérialisait et prolongeait ce trait, il rejoindrait la robe bleue de la danseuse et coïnciderait presque avec l'une des deux diagonales du tableau. La composition générale de cette toile recèle un nombre étonnamment important de parallèles à ces diagonales. Renoir a cherché à contrebalancer l'effet très suggestif de ce regard en introduisant dans la construction une contradiction dynamique de nature affective :

« Même le paysage est utile à un peintre de figures. En plein air, on est conduit à poser sur la toile des tons qu'on n'imaginerait pas dans la lumière plus faible de l'atelier. Mais quel métier que celui de peintre de paysages ! On perd la moitié d'une journée pour travailler une heure. Sur dix tableaux, on n'en termine qu'un parce que le temps a changé. »

PIERRE-AUGUSTE RENOIR

La Seine à Asnières, 1879
Huile sur toile, 71 x 92 cm
Londres, The National Gallery

tandis que Jeanne se penche sur le jeune homme du premier plan, un autre, situé à l'extrême droite du tableau, lève sur elle un regard plein de tendresse. Cet échange triangulaire est si intense que ce groupe s'en trouve pour ainsi dire isolé du reste de la scène. Plusieurs personnages dirigent leurs regards hors du tableau, c'est-à-dire en direction du spectateur; cela vaut en particulier pour les trois danseuses dont les visages sont tournés vers nous. Deux des figures attablées, le fumeur de pipe et la jeune Estelle habillée de bleu-rose, fixent d'un œil absent un point situé au-delà du spectateur. Et peut-être faut-il voir dans le regard heureux et rêveur de cette jeune fille souriante, regard que nous aimerions savoir dirigé sur nous, le motif et l'axe principaux de ce tableau. Tout ce qui fait le charme particulier de l'œuvre semble concentré dans la douceur sereine de ces yeux, de ce visage, de cette silhouette. Chaque coup de pinceau manifeste la joie que l'on éprouve à être jeune et amoureux, le bonheur qu'il y a à se sentir en harmonie avec les autres et à participer à une fête populaire sur fond de flirts tendres, naïfs et capricieux: le tableau tout entier est un oui au soleil, à la musique et au brouhaha environnant.

Cette œuvre relève de deux traditions distinctes, que de façon dialectique, elle unit et dépasse tout à la fois. Renoir paie ici le tribut dont il était redevable aux maîtres du rococo français, à Jean-Antoine Watteau, à Nicolas Lancret et à leurs «fêtes galantes». On y retrouve les mêmes regards ardents et appuyés, les attitudes et les mouvements

Deux jeunes femmes
(ou ***La Conversation***), 1895
Pastel, 78 x 64,5 cm
Collection particulière

empreints de la même évanescente légèreté s'y font aussi intimes, et il n'est pas jusqu'aux rayures bleues et roses des robes qui ne les évoquent; quant à la composition générale, elle y est marquée par le même refus de l'apprêt au profit d'un agencement ludique et apparemment contingent des personnages. Renoir appartenait en effet à la période du néo-baroque et du néo-rococo, et son admiration pour le génie des maîtres de l'Ancien Régime remontait à l'époque où il avait dû orner des tasses en porcelaine de scènes inspirées du rococo. Mais la fidélité historique n'était pas ce qui l'intéressait et il n'essaya pas de reprendre à son compte des thèmes ou des formes qui n'étaient plus de son temps: il les traduisit en un langage personnel.

La seconde tradition française dont Renoir s'est inspiré est celle de la représentation graphique, contemporaine et même un peu antérieure, des divertissements auxquels s'adonnaient les bourgeois des grandes villes. Cela faisait plusieurs décennies que des dessinateurs comme Honoré Daumier, Paul Gavarni, Constantin Guys et d'autres encore illustraient les livres et les journaux de leurs scènes de la vie parisienne: les noceurs y côtoyaient les grisettes et les bohèmes, le petit peuple la moyenne bourgeoisie. Les croquis réalisés sur le vif, faits pour témoigner du renouvellement quotidien d'un monde de plus en plus rapide, et les dessins reproduits en un grand nombre d'exemplaires grâce aux facilités de la lithographie avaient déjà débroussaillé le terrain des thèmes tirés de la vie ordinaire et des festivités de la vie bourgeoise en milieu urbain. Dans ce domaine, les divertissements de plein air étaient toutefois un motif plus rare que par exemple les scènes de théâtre. Les impressionnistes transposèrent alors cette thématique en l'adaptant à la figuration picturale de grand format. C'est Manet qui, en 1862, franchit le premier pas avec son tableau *Concert aux Tuileries* (Londres, National Gallery). *Le Bal du moulin de la Galette* marque une nouvelle étape. Le tableau de Manet ne méritait pas encore vraiment le nom de scène de plein air. Chez Renoir au contraire, les individus représentés dans leur intégralité se fondent sur un thème tiré de la vie parisienne dans un espace de lumière et de mouvement. Pour ce genre de motif le format choisi était d'ailleurs de dimensions exceptionnelles, et donc très ambitieux.

À la fin de cette période, Renoir peignit un autre rassemblement de jeunes gens; cette fois la scène a pour théâtre l'auberge d'Alphonse Fournaise qui se trouvait à Chatou-sur-Seine, non loin de la Grenouillère. Les jeunes gens accompagnés de leurs amies rentrent d'une promenade en barque, et se retrouvent pour un *Déjeuner des canotiers* (p. 50). Cette grande toile, préparée avec beaucoup de soin, résume toutes les recherches de Renoir sur ce thème. Plus proches de l'esquisse, *Les Canotiers à Chatou* (p. 41) ou *Le Déjeuner au bord de la rivière* (p. 51) ne sont que des travaux préparatoires. La composition du tableau qui nous occupe est fermement délimitée à droite comme à gauche et repose sur des lignes de construction rigoureuses. Et pourtant, plus encore que dans *Le Bal du moulin de la Galette,* elle se décompose en une multitude de détails et de sous-groupes. Lorsque l'on dit que Renoir peint des personnages en pleine distraction, il s'agit d'une vérité qui dépasse le simple jeu de mots. Représentés grandeur nature, ses jeunes gens sont plus fortement individualisés; les couleurs sont plus éclatantes, quand bien même réparties de façon moins régulière. Portrait de Caillebotte, l'homme assis cavalièrement sur une chaise à droite au premier plan anticipe déjà la structure plastique plus ferme et plus modelée des années qui suivront. Reproduits d'un pinceau particulièrement souple, les fruits, les bouteilles et les verres étincelants disposés sur la table semblent par contraste animés

PAGE DE DROITE:
Portrait de Mademoiselle Irène Cahen d'Anvers, 1880
Huile sur toile, 64 x 54 cm
Zurich, collection E.G. Bührle

…ujours ce besoin de chercher de la pensée …ns la peinture ! Moi, devant un chef-d'œuvre, …e me contente de jouir. »

PIERRE-AUGUSTE RENOIR

d'une vie quasi autonome. C'est avec un amour plein de tendresse que Renoir a peint la charmante jeune fille au chapeau fleuri qui tient entre ses bras un petit chien : il s'agit d'Aline Charigot, qui deviendra plus tard sa femme.

Parmi les nombreux thèmes tirés de la vie citadine auxquels les impressionnistes trouvèrent un intérêt et une beauté jusque-là insoupçonnés, il faut faire une place particulière à l'animation populaire des rues et des places. Ce n'était pour Renoir qu'un sujet d'importance secondaire ; c'est néanmoins avec art qu'il en illustra deux aspects importants, dépeignant d'un côté l'impression d'ensemble qui se dégage de la vie animée des rues, et de l'autre une foule observée de plus près où des passants pressés se croisent dans le plus grand désordre.

C'est à ce dernier aspect des scènes de la rue que se rattachent les personnages grandeur nature de son tableau intitulé *Les Parapluies* (p. 61). Il eut recours au bleu, au gris et au brun, couleurs éteintes qu'il ponctua de quelques accents lumineux. Les personnages les plus importants sont les enfants, dont les chapeaux imposants attirent notre regard, et la grisette, une petite modiste qui se rend avec son carton à chapeaux chez une cliente tandis qu'un cavalier cherche à lui proposer son parapluie et à lui faire un bout de conduite. Le charme du tableau tient à la diversité des formes de parapluies, variations dont Renoir se joue avec brio, et à la beauté des attitudes et des visages ; ceci est particulièrement vrai de la petite modiste qui regarde le spectateur

Le Déjeuner des canotiers, 1881
Huile sur toile, 129,5 x 172,7 cm
Washington, D.C., The Phillips Collection

Les Canotiers (dit : Le Déjeuner au bord de la rivière),
vers 1879 – 1880
Huile sur toile, 54,7 x 65,5 cm
Chicago, The Art Institute of Chicago,
Mr. and Mrs. Potter Palmer Collection

dans les yeux : elle a la stature et la dignité d'une déesse antique. Le seul défaut que l'on puisse reprocher au tableau, c'est d'évoquer de façon trop peu convaincante ce moment particulier qui marque le début de l'averse, la chute des premières gouttes et la précipitation des gens. La scène est au contraire empreinte d'un calme un peu artificiel, et la façon dont les personnages se présentent au public a quelque chose de formel ; cette impression est renforcée par le fait que deux d'entre eux dirigent leurs regards sur le spectateur. Et pourtant ce tableau reflète encore mieux que *Le Bal du moulin de la Galette* ou *Le Déjeuner des canotiers,* l'isolement de l'être humain. Les deux principaux groupes de personnages n'ont rien à voir entre eux et, même au sein de ces derniers, la position parallèle des têtes et les regards non convergents soulignent l'absence de communication : la grisette ignore le cavalier, la petite fille au cerceau son accompagnatrice.

Le choix de ce genre de motif est l'expression inconsciente d'un principe structurel caractéristique de l'état de la société en cette seconde moitié du 19e : les liens humains traditionnels sont en passe de se dénouer. Parti de la représentation d'un monde agité

« Je sais bien qu'il est difficile de faire admettre qu'une peinture puisse être à la fois de la très grande peinture en restant joyeuse. »
PIERRE-AUGUSTE RENOIR

Nature morte aux pêches, vers 1880
Huile sur toile, 38 x 47 cm
Paris, Musée de l'Orangerie

et changeant, Renoir espérait à cette époque aboutir à des constructions picturales plus stables : deux démarches contradictoires qui se retrouvent dans cette toile où elles entrent en conflit l'une avec l'autre. D'ailleurs Renoir eut vraisemblablement besoin de plusieurs années pour achever cette œuvre, dont il modifia à plusieurs reprises les couleurs.

Au cours de ces années 1870 qui furent sa plus belle période artistique, Renoir réalisa également un certain nombre de paysages, parmi lesquels figure le *Chemin montant dans les hautes herbes* (p. 25), tableau particulièrement réussi et tout à fait caractéristique de l'art du peintre. Dans ces compositions presque ennuyeuses à force d'être simples et linéaires, les fleurs et les effets de couleur jouent un rôle primordial. Renoir était de tous les impressionnistes celui qui cherchait le moins à élaborer un espace pictural aux structures claires et évidentes ; au contraire, il aimait à entremêler les touches de couleur vive comme pour élaborer une sorte de tapisserie, et c'est d'abord dans ses paysages, et non dans ses portraits, qu'il s'y exerça. Il parvint aussi bien que les autres à rendre le jeu du vent et de la lumière dans les herbes et les buissons, la chaleur et la gaieté de l'été, le foisonnement fastueux des couleurs que tout

« Je fais comme un petit bouchon jeté dans l'eau et emporté par le courant ! Je me laisse aller à peindre comme cela me vient ! »
PIERRE-AUGUSTE RENOIR

œil impressionniste était enclin à percevoir dans une nature non domestiquée. Mais les paysages n'étaient pas vraiment son point fort. Il était et resta toujours l'homme qu'enchantait surtout le charme du corps féminin, et il s'insurgeait précisément contre le fait qu'on associât de façon définitive la peinture impressionniste de plein air au thème du paysage : « La nature conduit l'artiste à la solitude ; je préfère rester dans le rang. »

Près du lac, vers 1879
Huile sur toile, 46 x 55 cm
Chicago, The Art Institute of Chicago,
Mr. and Mrs. Potter Palmer Collection

La crise de l'impressionnisme et la « période sèche »
1883 – 1887

En 1881, lors de son voyage en Italie, Renoir avait été profondément impressionné par les œuvres de Raphaël. « Elles sont pleines de science et de sagesse. Il ne cherchait pas comme moi l'impossible. Mais elles sont magnifiques. J'aime mieux Ingres dans les peintures à l'huile. Les fresques, en revanche, sont superbes dans leur grandeur et dans leur simplicité », écrivit-il à Durand-Ruel et, dans une lettre à Madame Charpentier, il ajoutait : « Raphaël, qui ne travaillait pas dehors, avait cependant étudié le soleil, car ses fresques en sont pleines. » On ne peut comprendre toute la portée de ces remarques que si l'on sait que vers le milieu du 19e siècle, Ingres était devenu pour les peintres français l'incarnation même du classicisme le plus figé, et ce parce qu'au sein de l'Académie il s'était opposé avec beaucoup de virulence à son contemporain Delacroix dont il critiquait la facture trop personnelle, le réalisme et surtout les prédilections en matière de couleurs. À ceci il faut ajouter que Raphaël était, de tous les peintres depuis le XVIe siècle, celui qu'Ingres et les classicistes plaçaient le plus haut. Et voici que Renoir, qui était parti pour Alger la colorée sur les traces de Delacroix, son maître vénéré, tenait de pareils discours ! Mais même auparavant, Renoir ne s'était jamais contenté d'adopter des positions bien arrêtées. À l'époque déjà où l'on discutait peinture au café Guerbois, Renoir n'était pas toujours d'accord avec ses amis : « Ils ne voulaient pas entendre parler d'Ingres. Je les laissais parler [...] et admirais tranquillement le beau corps de *La Source* d'Ingres, le cou et le bras de *Madame Rivière* [un portrait d'Ingres] », raconta-t-il par la suite au peintre André. Renoir avait l'impression d'en être encore au stade de la recherche, et n'était pas content de lui. « Vers 1883 [...] j'étais allé au bout de l'impressionnisme et j'arrivais à cette constatation que je ne savais ni peindre ni dessiner », rapporta-t-il. Les conceptions et les modes de représentation impressionnistes lui paraissaient désormais insuffisants.

Dès lors, Renoir entreprit de soigner davantage son dessin, et ses couleurs se firent plus froides, plus lissées. Il modela ses personnages avec une plus grande précision et porta une attention accrue à la manière dont il devait les disposer à l'intérieur de la toile. Dans l'œuvre de Renoir, on appelle les années entre 1884 et 1887 « la période sèche » ; la plupart des critiques de l'époque considérèrent que Renoir faisait là fausse route. Un de ses contemporains, l'Irlandais George Moore, écrivit qu'en l'espace de deux ans, Renoir avait complètement détruit l'art enchanteur et savoureux auquel il avait travaillé pendant vingt ans. Tous, y compris Renoir lui-même, virent dans cette rupture avec l'impressionnisme le signe d'une crise profonde. Mais cette

« [...] vers 1883 [...] j'étais allé jusqu'au bout de l'impressionnisme et j'arrivais à cette constatation que je ne savais ni peindre ni dessiner. En un mot, j'étais dans une impasse [...] jusqu'au moment où je m'aperçus que cela faisait une peinture compliquée avec laquelle il fallait tricher tout le temps.
Dehors, on a une variété de lumière plus grande que la lumière de l'atelier, toujours la même ; mais, précisément, dehors, vous êtes pris par la lumière ; vous n'avez pas le temps de vous occuper de la composition, et puis, dehors, on ne voit pas ce qu'on fait. Je me rappelle, un jour, le reflet d'un mur blanc sur ma toile : j'avais beau monter de ton, tout ce que je mettais était trop clair ; mais, rentré dans l'atelier, c'était tout noir [...] en peignant directement devant la nature, le peintre en arrive à ne plus chercher que l'effet, à ne plus composer, et il tombe vite dans la monotonie. »

PIERRE-AUGUSTE RENOIR

PAGE DE GAUCHE :
Deux Sœurs (Sur la terrasse), 1881
Huile sur toile, 100 x 80 cm
Chicago, The Art Institute of Chicago, Mr. and Mrs. Lewis L. Coburn Memorial Collection

Venise, le Palais des Doges, 1881
Huile sur toile, 54,5 x 65 cm
Williamstown, Sterling and Francine Clark Art Institute

crise n'était pas un fait individuel. Elle affecta Monet, Pissarro et Degas de la même façon que Renoir, et entraîna la dissolution du groupe impressionniste ; c'est en 1886 qu'eut lieu, sans la participation de Renoir, la huitième et dernière exposition collective.

Il s'agissait en réalité de la crise de l'impressionnisme lui-même, dans la mesure où celui-ci était la dernière phase du réalisme bourgeois. Tous les aspects de la réalité bourgeoise dont les impressionnistes s'étaient faits l'écho se révélèrent épuisés d'un point de vue artistique, et en outre aucun peintre soucieux d'élaborer une approche honnête de la vérité ne pouvait à la longue se satisfaire d'un champ d'investigation aussi restreint. Limité à la description de fêtes joyeuses ou des beautés de la vie intime, l'univers des tableaux impressionnistes entretenait des rapports de plus en plus contradictoires avec la réalité sociale environnante. Les impressionnistes avaient entrepris de se fier à leur observation du monde extérieur et, sur ce point, ils avaient fait des progrès. Ils avaient aspiré à peindre les choses telles qu'ils les voyaient, à n'être plus qu'un œil et une main. « Corot disait : "quand je peins, je suis une bête". Je suis un peu de l'école de Corot », avouait Renoir. Quand il peignait, il se voulait vide de

Venise, Place San Marco, 1881
Huile sur toile, 65,4 x 81 cm
Minneapolis, The Minneapolis Institute of Arts, The John R. Van Derlip Fund

toute pensée, de tout jugement : son attitude coïncidait avec les exigences formulées à cette même époque par John Ruskin, le très influent critique anglais.

Mais le fait de dépeindre sans réflexion une réalité qui n'était acceptable que dans la mesure où elle était belle, menait tout droit à la platitude. La nature profonde des choses et des gens qui entouraient les impressionnistes n'était pas « belle », et ils le savaient très bien. À partir du moment où l'acte de peindre présupposait qu'ils missent leur intelligence en veilleuse, ils cessaient de se ranger parmi les réalistes. Mais s'ils voulaient rester réalistes, il était indispensable qu'ils quittent le terrain d'une représentation purement esthétique de la vie bourgeoise pour passer au stade de la critique. Aucun des impressionnistes français n'osa s'engager dans une voie aussi révolutionnaire. Renoir se déroba. Il n'avait plus besoin de lutter pour faire admettre ce qui lui avait valu d'être critiqué, c'est-à-dire la luminosité des couleurs, les jeux de lumière et d'ombres, les formes ouvertes et une conception picturale proche de l'esquisse. Entre-temps, tout ceci s'était imposé. Mais il céda, vraisemblablement inconsciemment, sur le terrain qui révèle toujours les contradictions les plus flagrantes : celui des thèmes et des contenus.

Quelques portraits de famille mis à part, Renoir ne peignit au cours de sa « période sèche » presque aucune scène inspirée de la vie quotidienne à Paris. Les jeunes filles allongées dans l'herbe, les laveuses et les vendeuses de pommes que l'on pourrait ranger dans cette catégorie, ont considérablement perdu de leur pouvoir de suggestion par rapport à la réalité concrète du moment. Au regard de la masse des tableaux de la période suivante, elles ne représentent en outre qu'une infime partie de son œuvre. Non, Renoir et ses compagnons se concentrèrent sur ce qui était déjà une des tendances de l'impressionnisme : la formulation de sentiments purement subjectifs et le traitement subjectif des moyens picturaux. Ces moyens firent l'objet d'une sélection très soigneuse et furent appliqués à des thèmes socialement neutres. Alors même qu'il commençait à jouir d'une certaine notoriété, l'impressionnisme perdit de son pouvoir de subversion sociale parce qu'il renonça à développer une thématique réaliste : ou bien à l'inverse, c'est peut-être précisément cette modification des contenus qui lui valut d'être toléré. Car, en réalité, nombre de bourgeois le considéraient encore comme « une incarnation du communisme, défendant avec ardeur la libre violence ».

En 1885 et en 1886, Renoir partit à plusieurs reprises travailler à La Roche-Guyon et à Wargemont. Au cours des années qui suivirent, il participa à l'exposition bruxelloise d'un groupe de peintres modernes appelés « Les XX » ainsi qu'aux expositions internationales qu'organisait à Paris Georges Petit, un concurrent de Durand-Ruel. Mais Renoir ne rompit pas pour autant ses relations avec son ancien bienfaiteur. Ouvrant les portes du marché américain à l'impressionnisme français, celui-ci présenta 32 toiles de Renoir au public new-yorkais en 1886. Cette entreprise fut couronnée du succès que l'on sait : c'est à cela que les musées et les collections privées américaines de New York, de Chicago et d'ailleurs doivent aujourd'hui de détenir un nombre considérable d'œuvres de Renoir et d'autres impressionnistes.

La transition vers cette nouvelle approche picturale se fit progressivement. Elle se fait déjà pressentir dans trois grandes toiles réalisées en 1883, panneaux verticaux qui étaient destinés à décorer une des pièces de l'appartement de Durand-Ruel (p. 64/65). Les trois représentent un couple en train de danser la valse. Dans le jardin du restaurant de Bougival, un homme sans faux col et coiffé d'un chapeau de paille entraîne gaillardement sa compagne dans la danse ; c'est avec un peu plus de tendresse et d'élégance que le peintre Paul Lhote mène sur une seconde piste en plein air la jeune Aline Charigot, future femme de Renoir, dont le sourire éclatant illumine le tableau, plus encore que les couleurs intenses des habits ; le troisième panneau enfin, représente un bal en ville où c'est, cette fois, le jeune modèle Suzanne Valadon qui valse au bras de Lhote. Les évolutions de ce dernier couple sont, de toutes, les moins convaincantes ; mais nous sommes séduits par le tournoiement et les mouvements ondoyants des deux autres jeunes femmes, manifestement heureuses en amour, dont le charme et la beauté constituent le principal contenu de ces tableaux.

En 1886, Renoir réalisa plusieurs toiles sur lesquelles on peut voir celle qui deviendra sa femme, portant dans ses bras ou contre son sein leur fils aîné, Pierre (p. 67). Les couleurs retenues de ces tableaux coïncident avec l'orientation plus graphique et plus plastique de Renoir à cette époque. Il s'efforçait de redonner aux objets, qui sous son pinceau s'étaient comme dissous, des contours plus fermes, plus solides. Il rejoignait en cela son contemporain Cézanne qui voulait faire de l'impressionnisme un style aussi « durable » que celui des maîtres anciens et qui, dans ce but, s'appliquait à réduire les objets à quelques formes fondamentales : sphère, cône, cylindre. Renoir

La Femme au manchon, vers 1883
Mine de plomb, plume et aquarelle,
52,7 x 36,2 cm
New York, The Metropolitan Museum of Art,
H. O. Havemeyer Collection

PAGE DE GAUCHE :
Deux Jeunes Filles en noir, vers 1881
Huile sur toile, 81 x 65 cm
Moscou, Musée Pouchkine des Beaux-Arts

PAGE 60 :
Jeune fille à l'ombrelle (Aline Nunès), 1883
Huile sur toile, 131 x 80 cm
Paris, collection particulière

PAGE 61 :
Les Parapluies, 1883
Huile sur toile, 180 x 115 cm
Londres, The National Gallery

Jeune Femme avec une rose, 1886
Pastel, 59,7 x 44,2 cm
Paris, collection particulière

La Leçon de musique, 1891
Craie, 37 x 33,2 cm
Budapest, Szépművészeti Múzeum

accentuait toutes les courbes. La jeune femme et son nourrisson à l'air éveillé sont si replets qu'ils semblent constitués de segments sphériques. Certes, le visage de Madame Renoir se prêtait peut-être à une interprétation de cette sorte, mais il n'en reste pas moins que l'évolution qui mène des *Canotiers* ou des *Danses* à ce dernier tableau révèle une tendance à accentuer la plasticité des personnages et des objets ; par la suite, Renoir renoncera à poursuivre dans cette voie pour revenir à des formes plus suaves.

Avant 1885, les nus n'occupaient qu'une place secondaire dans l'œuvre de Renoir, bien que, comme nous l'avons vu, certaines de ses toiles importantes s'inspirassent déjà de ce thème. Cela changea vers le milieu des années 1880. Les nus représentés en plein air, fréquemment désignés sous le terme de *Baigneuses,* devinrent le motif favori de Renoir. Ces tableaux semblent baignés d'une clarté de plus en plus homogène. Renoir ne cherchait plus, comme il l'avait fait vers 1876 pour le tableau intitulé *Torse, effet de soleil,* à rendre le jeu des taches lumineuses et des ombres violettes sur le grain d'une peau vivante. Ce qu'il s'efforçait désormais d'élaborer, c'était des formes placides, toutes baignées de la même luminosité, et circonscrites par des lignes précises. En cinq ans, l'évolution est très nette, mais la liberté des mouvements et l'aspect quasi contingent des scènes choisies renvoient encore à l'impressionnisme de la période précédente ; dessin et exécution reflètent quant à eux la confrontation de Renoir avec le classicisme d'Ingres.

Les difficultés qu'il éprouva à élaborer de nouveaux concepts picturaux, les efforts qu'il dut fournir pour approcher et expérimenter une nouvelle façon de peindre, tout cela transparaît dans le fait qu'en dépit des coloris modifiés, plus artificiels et plus froids, les toiles qu'il réalisa à cette époque conservaient dans leurs motifs et dans la souplesse de leur facture, proche de l'esquisse, quelque chose des conceptions dont il se réclamait jusque-là. C'est vrai de ses portraits d'enfants (comparer p. 70 et p. 74), comme de ses natures mortes aux motifs floraux (comparer p. 68 et p. 79), ou encore de cette petite étude d'une scène représentant des jeunes femmes et des enfants en train de jouer au Jardin du Luxembourg (p. 63).

La toile la plus importante de cette période est celle intitulée *Les Grandes Baigneuses* (p. 72/73). Avant de se décider, en 1887, à l'exposer chez Georges Petit, Renoir y travailla trois années durant, plus de temps qu'il n'en consacra jamais à aucune autre de ses toiles. Des jeunes filles aux corps fermes et froids se divertissent au bord d'un étang au milieu des bois. Du point de vue du motif, il s'agit d'une scène pleine de gaieté ; le type même des jeunes filles, en particulier celui de l'adolescente presque garçonnière qui veut éclabousser ses amies, manifeste un désir de coller à la réalité quotidienne et révèle une tendance à souscrire aux modes parisiennes de l'époque.

Mais les petites cousettes se sont ici métamorphosées en nymphes, et Renoir dépeint leurs jeux d'une façon linéaire qui souligne les courbes de leurs corps ; la composition recèle une multitude de détails charmants, qui ne suffisent cependant pas à former un ensemble convaincant. Les gestes ont quelque chose de précieux, et l'entremêlement de jambes en mouvement au centre du tableau suscite une impression de confusion. Chez ces jeunes filles en train de jouer, l'expression des visages est d'une étonnante platitude. L'idée de ce tableau avait été suggérée à Renoir par une œuvre en relief, fondue dans le plomb, que François Girardon avait réalisée en 1672 pour une fontaine du parc de Versailles. Les esquisses préparatoires qu'il en fit révèlent son

PAGE DE DROITE :
Au jardin du Luxembourg, vers 1883
Huile sur toile, 64 x 53 cm
Genève, collection particulière

Les danseurs : la danse à Bougival, 1883
Lithographie
Paris, Bibliothèque Nationale,
Cabinet des Estampes

À DROITE :
La Danse à Bougival
(Suzanne Valadon et Paul Lhote), 1883
Huile sur toile, 180 x 98 cm
Boston, Museum of Fine Arts
Picture Fund

incapacité flagrante à venir à bout de l'ordonnance classique à laquelle il aspirait ; seules les études très soignées qu'il consacra aux mouvements de ses personnages ont quelque chose de puissant et de vivant, comme le montre ce dessin daté de 1884 et exposé à l'Art Institute of Chicago (p. 71).

Renoir voulait prendre ses distances avec ce qui avait fait jusque-là le contenu réaliste des chefs-d'œuvre impressionnistes, c'est-à-dire la formulation picturale d'aspects fugitifs mais nouveaux et caractéristiques de la vie contemporaine : il espérait ainsi donner à ses tableaux une portée plus générale. Mais il n'entendait pas pour autant renoncer complètement aux effets picturaux qui ne peuvent naître que d'une

perception spontanée et personnelle. Il ne revint pas sur les acquis impressionnistes, en l'occurrence sur les divers modes d'expression de la lumière, les ombres colorées et le mouvement mais, en soumettant à des principes de composition classiques la turbulence apparemment fortuite de ses motifs, il s'efforça de faire de l'organisme pictural un tout plus solide et plus cohérent. Toutefois, les problèmes qui découlèrent de cette tentative contradictoire restèrent dans une large mesure non résolus.

Tout comme les autres tenants de la tendance néo-classiciste qui se manifestait à travers la peinture européenne de cette époque, Renoir échoua à atteindre son but d'une façon qui fût à la fois réellement convaincante et productive. Pour représenter

À GAUCHE :
La Danse à la campagne
(Aline Charigot et Paul Lhote), 1883
Huile sur toile, 180 x 90 cm
Paris, Musée d'Orsay

À DROITE :
La Danse à la ville
(Suzanne Valadon et Paul Lhote), 1883
Huile sur toile, 180 x 90 cm
Paris, Musée d'Orsay

une réalité compliquée et contradictoire et formuler les différents aspects d'une vérité dialectique plus profonde, il n'avait aucun besoin de cette idéalisation à laquelle le portait son goût pour les modèles classiques; il lui aurait fallu au contraire se tourner vers une approche plus énergique de scènes et de personnages ancrés dans un contexte historique et social concret. Ce ne fut pas le chemin qu'il choisit. Il concentra tous ses efforts sur l'élaboration d'un merveilleux refuge pour les amoureux de l'harmonie et du bonheur, qu'il peupla de créatures issues d'un monde idyllique situé à la frontière entre la réalité et le rêve.

Cette période dite « sèche » se caractérise donc par une linéarité plus prononcée des traits et de la composition, sous laquelle l'ancienne facture persiste encore. Mais Renoir revint très rapidement à ses anciennes prédilections et, tout en conservant cette linéarité, il l'agrémenta de teintes encore plus riches et plus éclatantes qu'auparavant. Sur les toiles qu'il peignit alors, les couleurs semblent couler au rythme de pulsations profondes; elles sont fastueuses et d'un effet décoratif certain. En 1888, Renoir commença à développer les prémices de ce qui serait son style tardif.

À GAUCHE:
Maternité ou Femme allaitant son enfant, 1886
Huile sur toile, 81 x 65 cm
Collection particulière

À DROITE:
Aline et Pierre, 1887
Pastel sur papier marouflé sur bois, 81,3 x 65,4 cm
Cleveland, The Cleveland Museum of Art

PAGE DE GAUCHE:
La Natte (Suzanne Valadon), 1885
Huile sur toile, 56 x 47 cm
Suisse, collection particulière

Maladie et vieillesse
1888 – 1919

Les trente dernières années de la vie de Renoir ont été exemptes de drames extérieurs, mais elles ont été assombries par une tragédie de nature personnelle. Ce furent pour son art des années de triomphe progressif, qui lui valurent la reconnaissance du public tout entier, ainsi qu'une réussite financière le mettant à l'abri du besoin. Mais elles furent attristées par les souffrances d'une maladie grave, contre laquelle il dut lutter de toutes ses forces, et par ce qui est le lot de tous les artistes vieillissants : il dut accepter de voir son art dépassé et supplanté par celui de la génération montante.

À la fin des années 1880, il travailla plusieurs fois avec Cézanne ; après la mort de ce dernier, qui survint en 1895, il se tourna vers Berthe Morisot, qu'il considérait comme la plus douée des femmes impressionnistes et pour qui il éprouvait un profond respect. En 1890, il participa de nouveau au Salon ; c'était la première fois depuis 1883 et ce fut également la dernière. En 1892, il entreprit, en compagnie de son ami Gallimard, un voyage en Espagne où il fut impressionné par la qualité et la diversité des œuvres exposées dans les musées. Mais si la peinture espagnole avait exercé, à l'époque où l'impressionnisme n'en était encore qu'à ses débuts, une influence considérable sur certains peintres du mouvement, par exemple sur Manet, elle ne pouvait désormais plus rien changer aux conceptions picturales de Renoir. Cette année 1892 lui valut d'ailleurs la reconnaissance définitive du public. Durand-Ruel lui consacra une exposition particulière, dans laquelle il présenta quelque 110 toiles de lui, et l'État français se porta pour la première fois acquéreur de l'un de ses tableaux qu'il destinait au Musée du Luxembourg ; il s'agissait d'*Yvonne et Christine Lerolle au piano* (p. 83). Mais lorsque deux années plus tard la donation de Caillebotte échut en héritage à l'État, Renoir, qui avait été désigné comme exécuteur testamentaire, dut une fois de plus se battre durement pour que les autorités se décidassent à accepter ne serait-ce qu'une partie des tableaux légués. Les vieux messieurs qui siégeaient dans les commissions de décision refusaient péremptoirement d'intégrer aux collections nationales un nombre trop important de ces toiles qui avaient été longtemps méprisées et persiflées et qui leur inspiraient encore le plus grand scepticisme.

La vague d'attentats anarchistes qui déferlait alors sur Paris n'était peut-être pas étrangère à ce regain de conservatisme ; la bourgeoisie affolée n'ignorait pas qu'une partie des peintres hostiles à l'Académie était favorable aux idéaux anarchistes. C'est dans ce contexte que Gérôme, professeur à l'École des Beaux-Arts, qualifia publiquement les œuvres impressionnistes d'immondices ; il mit l'État en garde contre le danger que représenterait le fait d'accepter pareilles donations : ce serait faire montre de laxisme moral. Des 65 tableaux légués par Caillebotte, seuls 38 firent leur entrée au

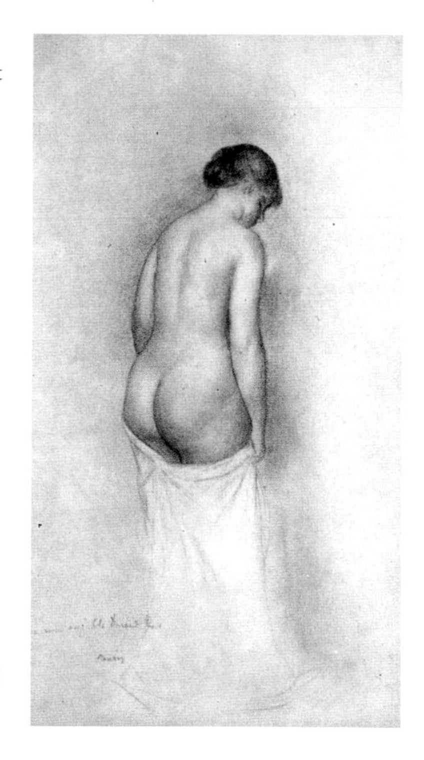

Après le bain, 1884
Fusain et craie, 44,5 x 24,5 cm
Paris, collection particulière

PAGE DE GAUCHE :
Vase de chrysanthèmes, vers 1885
Huile sur toile, 82 x 66 cm
Rouen, Musée des Beaux-Arts et de la Céramique

Musée du Luxembourg, parmi lesquels six de Renoir, au lieu des huit initialement prévus.

En 1892, 1893, puis en 1895, Renoir passa l'été à Pont-Aven sur la côte bretonne. C'était un lieu de villégiature fort apprécié des peintres de tous bords. Mais à cette époque, on y rencontrait surtout des symbolistes dont le mouvement était alors à la pointe de l'évolution artistique. Dans ce groupe, Paul Gauguin faisait figure de leader; il s'embarqua peu de temps après pour les pays d'outre-mer où il espérait trouver ce paradis que l'Europe ne pouvait lui offrir. « Pour où ? » demanda Renoir quand il en entendit parler ; « On peut peindre aussi bien aux Batignolles. » Mais il était lui aussi en quête d'un paradis qui se situât en marge de la réalité dans laquelle il vivait : c'est ainsi qu'il s'inventa un monde de paysages idylliques, qu'il peupla de jeunes baigneuses libres de sentir et de rêver à leur guise. Leurs corps plantureux s'inspiraient de ceux des femmes de son entourage. Parmi celles qui posèrent pour lui, il y eut la cuisinière, les nourrices et les bonnes d'enfants chargées de s'occuper de ses fils, mais aussi la jeune Gabrielle Renard, une cousine de Madame Renoir, qui avait été engagée comme servante à l'âge de 14 ans, peu de temps avant la naissance de Jean, le deuxième fils ; elle resta chez eux de 1894 à 1914, et épousa plus tard le peintre américain Conrad Slade. L'été, Renoir se rendait souvent à Essoyes, ville natale de sa femme, où il acheta en 1898 une maison. C'est au plus tard cette année-là qu'il sentit les premières attaques de son mal : un rhumatisme aigu, qui désormais l'obligerait à passer ses hivers en Provence et ses étés en séjour de cure.

Mais avant de tomber malade, il avait effectué un autre voyage à l'étranger. En 1896, il était allé à Bayreuth ; la musique de Wagner lui paraissait alors toujours aussi séduisante, mais il avait été déçu par le culte dont l'artiste faisait l'objet dans cette ville de festivals. Après que son mal se fut déclaré, il profita de rémissions passagères pour retourner en Allemagne. En 1910, il répondit à l'invitation de la famille Thurneyssen et se rendit à Munich ; il y peignit quelques portraits et admira les Rubens de la Pinacothèque. Sa célébrité s'était étendue hors des frontières françaises. Il exposa en 1896 et en 1899 chez Durand-Ruel, en 1904 au Salon d'automne, puis en 1913 chez Bernheim à Paris. Mais il ne se limita pas à cela : il participa également, dans le cadre de l'Exposition Universelle de 1900, à l'exposition centennale de l'art français et fut décoré de la Légion d'honneur. Au début du siècle, ses tableaux firent le tour de l'Europe : on put les voir à Londres, Budapest, Vienne, Stockholm, Dresde et Berlin, et à Moscou le grand négociant Serge Chtchoukine ne répugnait pas à faire admirer des amateurs ses merveilleux Renoir, qui comptent maintenant parmi les trésors du Musée Pouchkine. Renoir, quant à lui, élut en 1899 domicile à Magagnosc près de Grasse, puis en 1902 à Le Cannet dans les environs de Cannes. C'est en 1901 que naquit Claude, son troisième fils, bientôt surnommé Coco ; il fut le ravissant modèle dont s'inspirèrent de nombreux tableaux de ces années-là (p. 86).

La famille Renoir déménagea une dernière fois et s'installa en 1905 à Cagnes, non loin d'Antibes, dans le même chaleureux paysage de la Côte d'Azur. Ils emménagèrent tout d'abord dans l'ancienne poste, puis Renoir fit construire au milieu d'une oliveraie touffue la maison des « Collettes » ; cette oliveraie serait son dernier atelier de création en plein air. Les touristes de passage perturbaient son travail : le portier de l'hôtel conseillait à qui voulait l'entendre la « visite » du célèbre peintre. Des commerçants importuns surenchérissaient de cajoleries pour obtenir de lui qu'il eût la gentillesse de peindre les portraits de leurs épouses et de leurs enfants – avec

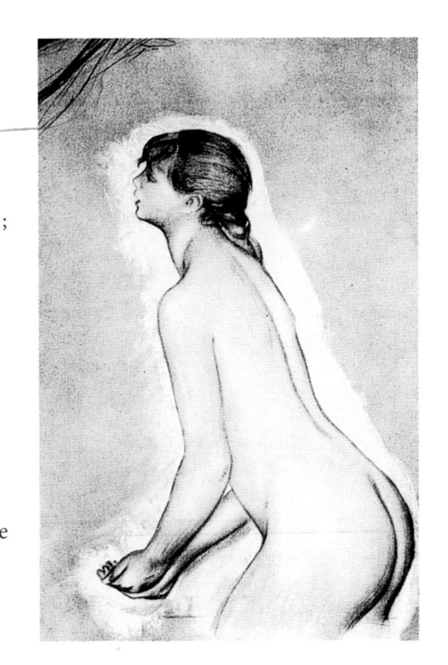

Nu, Étude pour Les Grandes Baigneuses, vers 1886 – 1887
Crayon rehaussé de pastel, 98,5 x 64 cm
Chicago, The Art Institute of Chicago

PAGE DE GAUCHE :
Fillette au cerceau (Marie Goujon), 1885
Huile sur toile, 125 x 75 cm
Washington, D.C., National Gallery of Art, Chester Dale Collection

PAGES 72/73 :
Les Grandes Baigneuses, 1887
Huile sur toile, 115 x 170 cm
Philadelphie, Philadelphia Museum of Art, The Mr. and Mrs. Carroll S. Tyson Collection

quelquefois l'intention de tirer aussitôt un bénéfice substantiel de la revente de ces toiles, comme d'une action dont le cours aurait grimpé. Mais il y eut également des visiteurs appréciés : les sculpteurs Auguste Rodin et Aristide Maillol, les peintres Albert André et Walter Pach à qui nous devons, de même qu'au galeriste Ambroise Vollard, des comptes rendus tout à fait précieux des conversations qu'ils eurent avec le vieux maître (qui d'ailleurs haïssait ce titre). Renoir s'exprimait simplement et n'avait aucun goût pour les idées trop longuement concoctées. Les théories ronflantes, alors en vogue dans les milieux de l'art, l'avaient dégoûté de toute forme de théorie quelle qu'elle fût. Mais il éprouvait surtout beaucoup de respect pour les grands maîtres de la tradition et il regrettait que la parcellisation du travail artistique eût entraîné une perte du savoir-faire qui avait été celui de ces artisans. Ni critique ni rebelle, Renoir vivait en réalité à l'écart de son temps, mais c'était précisément ce qui lui permettait de conserver des qualités d'intégrité et d'humanité qui devenaient de plus en plus rares.

Très douloureuse, l'inflammation rhumatismale qui affectait ses articulations lui donnait bien du fil à retordre. Ses os se déformaient et il se déshydratait. En 1904, il ne pesait plus que 48 kilos, et il lui était devenu presque impossible de rester assis. À partir de 1910, il lui fallut renoncer à marcher, même avec des béquilles, et il vécut désormais rivé à son fauteuil roulant. Ses mains s'étaient déformées au point de ressembler à des serres d'oiseau, et pour empêcher que ses ongles ne s'incarnent, il devait porter en permanence des bandes de gaze. Il fallait que quelqu'un l'aidât à ajuster son pinceau entre ses doigts raidis : il était incapable de s'en saisir lui-même. Mais dans la mesure où les accès de sa maladie ne le contraignaient pas à garder le lit, qui avait d'ailleurs été pourvu d'armatures destinées à protéger son corps du contact des draps,

À GAUCHE :
La Cueillette de fleurs (dit : Dans la prairie), 1890
Huile sur toile, 81 x 65 cm
New York, The Metropolitan Museum of Art, legs de Sam A. Lewinsohn

À DROITE :
Les Laveuses, 1889
Huile sur toile, 56 x 47 cm
Baltimore, The Baltimore Museum of Art, The Cone Collection

PAGE DE GAUCHE :
Petite fille à la gerbe, 1888
Huile sur toile, 65 x 54 cm
São Paulo, Musée d'Art moderne

PAGE 76 :
Jeune Femme se baignant, 1888
Huile sur toile, 81 x 65 cm
Collection particulière

PAGE 77 :
Baigneuse, 1888
Huile sur toile, 65 x 54 cm
Tokyo, collection particulière

Portrait de l'artiste au chapeau blanc, 1910
Huile sur toile, 42 x 33 cm
Paris, collection particulière

« Cela me repose la cervelle de peindre des fleurs. Je n'y apporte pas la même tension d'esprit que lorsque je suis en face d'un modèle. Quand je peins des fleurs, je pose des tons, j'essaye des valeurs hardiment, sans souci de perdre une toile. Je n'oserais pas le faire avec une figure, dans la crainte de tout gâter. Et l'expérience que je retire de ces essais, je l'applique ensuite à mes tableaux. »

PIERRE-AUGUSTE RENOIR

« Je crois que je commence à y comprendre quelque chose. »

PIERRE-AUGUSTE RENOIR,
le 3 décembre 1919, après avoir terminé sa dernière toile

il poursuivait son œuvre sans se rebuter, jour après jour. Il lui arrivait d'être presque totalement paralysé. Ses visiteurs s'accoutumèrent à le voir, sous l'effet de la douleur, interrompre une conversation pour la reprendre un quart d'heure plus tard à l'endroit précis où il s'était arrêté. Il se fit construire un chevalet bâti sur le principe des métiers à tisser, qui lui permettait d'enrouler la toile sur elle-même ; c'était le seul moyen pour qu'il pût encore venir à bout des toiles de grand format. Il peignait assis dans son fauteuil roulant, ne levant plus le bras que pour des coups de pinceau brefs et énergiques. « Vous voyez bien », dit-il un jour [au marchand d'art] Vollard qui le regardait diriger le pinceau de ses doigts griffus, « que l'on n'a pas besoin de main pour peindre. »

C'est également à cette époque que Renoir se mit à la sculpture : il eut recours à l'aide de collaborateurs auxquels il expliquait de quelle façon il souhaitait que la terre fût modelée. Richard Guino, un jeune Espagnol, se révéla un assistant d'une grande sensibilité ; celui qui lui succéda fit moins bien l'affaire. Guino était chargé d'ébaucher grosso modo les figurines d'après les croquis de Renoir ; puis ils passaient tous les deux à l'étape suivante : celle du fignolage. Renoir rapprochait au maximum son fauteuil roulant et dirigeait les opérations à la baguette, à la façon d'un chef d'orchestre : « un peu moins ici ... encore un peu ... là ! Là, plus rond, plus plein ... ! » Ils s'étaient si bien adaptés l'un à l'autre qu'ils en étaient arrivés à se comprendre sur la base d'un vocabulaire très réduit : Guino savait interpréter chacun des sons, des exclamations, des grognements désapprobateurs ou satisfaits de Renoir. C'est ainsi que le vieux maître réalisa des sculptures que ses mains n'avaient jamais touchées, mais qui n'en étaient pas moins des créations très personnelles, pures émanations de son esprit, concrétisations de l'idée qu'il se faisait de la beauté humaine.

Car c'est une chose extraordinaire, grandiose et presque incompréhensible, que l'optimisme dont ces œuvres de vieillesse sont empreintes : en dépit du mal dont l'artiste était rongé, nulle part elles ne trahissent de désespoir, de dégoût de vivre, d'irritation ni de jalousie à l'égard des bien portants. Les centaines d'œuvres que Renoir créa au cours des dernières années de son existence sont toutes un hymne au bonheur de vivre : quelque chose comme le sourire rayonnant d'un habitant de l'Arcadie.

Lorsque la Première Guerre Mondiale fut déclarée, Renoir dénonça l'absurdité de ce conflit dans lequel ses deux fils Jean et Pierre devaient être grièvement blessés. Ils furent soignés par leur mère ; profondément affligée par les événements, celle-ci mourut en 1915. Au cours du premier été de l'après-guerre, Renoir se rendit sur sa tombe à Essoyes, puis il monta une dernière fois à Paris. Au Louvre, les tableaux qui avaient été décrochés et mis à l'abri pour toute la durée de la guerre avaient été rapportés et réinstallés. On poussait le fauteuil de Renoir devant ses toiles favorites, celles de François Boucher, de Delacroix, de Corot ; il avait une prédilection pour les couleurs saturées du grand tableau de Véronèse *Les Noces de Cana*, à côté duquel on avait, conformément à ses propres souhaits, accroché à la place d'honneur le petit portrait de Madame Charpentier qu'il avait réalisé en 1877. Il se remit à peindre dès son retour à Cagnes. « Je fais encore des progrès », disait-il quelques jours avant sa mort ; et l'on rapporte que le 3 décembre 1919, le dernier mot qu'il prononça concernait la composition d'une nature morte qu'il avait l'intention de peindre : des « fleurs... »

PAGE DE DROITE :
Roses, 1890
Huile sur toile, 35 x 27 cm
Paris, Musée d'Orsay

La dernière période

À vrai dire, tout ce que Renoir a peint à partir de 1888, au sortir de sa « période sèche », mérite le qualificatif de fleuri. Ses toiles ont quelque chose de vibrant, et sont toutes mouchetées d'une bruine homogène de couleurs puissantes. Le charme visuel qui se dégage des dernières toiles s'est enrichi d'une luxuriance nouvelle, mais les personnages que Renoir s'était jadis efforcé d'observer dans une optique différente, c'est-à-dire quand ils étaient soumis aux altérations de la lumière, semblent désormais noyés dans un flot de teintes aux nuances fleuries : s'ils nous intéressent encore, ce n'est plus à titre d'individus, mais en tant que supports d'une couleur devenue presque immatérielle.

Toute la beauté de cette dernière période tient à l'effet enivrant des couleurs appliquées d'un mouvement souple du pinceau et associées aux formes courbes d'une composition ouverte ; elles ne sont souvent réparties sur la surface de la toile que comme la poudre légère qui tombe des ailes des papillons. Les paysages de Renoir sont pénétrés de la clarté puissante du ciel provençal ; elle fait ressortir la fantastique richesse des coloris, qu'il s'agisse des cubes blancs des maisons, que Cézanne a d'ailleurs traités d'une tout autre façon, ou des oliviers aux branches noueuses, qui chez Vincent van Gogh ont été dramatisés dans le sens d'une expressivité accrue. Chez Renoir, tout cela se transforme en un jardin de conte de fées, que viennent transfigurer les harmonies radieuses des rouges, des jaunes, des verts et des bleus, ou en un entrelacs de motifs d'une splendeur décorative troublante.

Lorsqu'il peignait ses semblables au sein de leur environnement naturel, la texture homogène de la couleur abolissait toute frontière entre le corps humain et les autres motifs représentés. De son passé impressionniste, Renoir a gardé un sens développé des nuances, une grande réceptivité au charme qui émane d'un geste spontané, impulsif, surtout lorsque celui-ci est le fait d'une jeune fille aux formes souples. C'est ainsi que ses *Jeunes Filles au piano,* dont il existe plusieurs versions, nous enchantent par le naturel de leurs attitudes ou de cette mimique dans laquelle transparaissent tous leurs efforts pour apprendre une nouvelle mélodie (p. 82/83). Mais l'expression des visages est encore le moins important de tous les composants qui font le charme de cette toile consacrée aux deux sœurs Lerolle.

Les jeunes filles (p. 75) qu'il a peintes assises dans un pré sous le couvert des arbres et occupées à tresser des couronnes de fleurs relèvent d'un panthéisme romantique qui mêle, sans que n'en résulte aucune contradiction, l'humain et le naturel dans un même flux coloré ; elles n'ont plus rien de ces personnages clairement circonscrits

Baigneuse, 1906
Eau-forte, 23,7 x 17,5 cm
Paris, Bibliothèque Nationale

PAGE DE GAUCHE :
Baigneuse assise, 1892
Huile sur toile, 81 x 65 cm
New York, The Metropolitan Museum of Art, Robert Lehman Collection

Yvonne et Christine Lerolle au piano, vers 1898
Huile sur toile, 73 x 92 cm
Paris, Musée de l'Orangerie

dans le temps, agissant et ressentant les choses au sein d'une nature baignée de soleil, tels qu'ils pouvaient figurer dans les scènes des années 1870 et du début des années 1880.

Renoir conservait intact l'intérêt plein de sympathie que lui inspiraient les gens « simples » ; c'est ce qui transparaît dans une série de tableaux consacrés aux laveuses en bord de ruisseau (p. 75). La beauté de leurs corps et de leurs gestes lui paraissait évidente ; il ne se sentait aucun goût pour le sérieux avec lequel, quelques dizaines d'années plus tôt, Daumier avait dépeint leur dur labeur.

En règle générale, les toiles de cette période sont exemptes d'implications psychologiques, et la façon dont le peintre a disposé ses personnages débouche sur des compositions désormais plus statiques. Cela tient au fait que Renoir a dissocié les objets représentés des accents colorés dont ils sont agrémentés ; ces derniers sont désormais répartis par petites touches isolées sur toute la surface du tableau, selon un rythme qui ne naît que de la seule imagination du peintre. Les taches de lumière fondues dans l'herbe qui, 20 ans plus tôt, avaient déchaîné la réprobation des critiques résultent d'une observation attentive de la réalité colorée. Mais ici, il ne s'agit plus de les mettre au service d'une reproduction aussi fidèle que possible du monde réel ; elles ne servent plus qu'à interpréter sur un mode ludique les rêveries subjectives dont l'artiste est habité. N'oublions pas que les toiles des 15 dernières années

PAGE DE GAUCHE :
Jeunes Filles au piano, 1892
Huile sur toile, 116 x 90 cm
Paris, Musée d'Orsay

« Dans l'art, comme dans la naturel, ce que nous sommes tentés de prendre pour des nouveautés n'est, au fond, qu'une continuation plus ou moins modifié. »

PIERRE-AUGUSTE RENOIR

sont contemporaines des œuvres expressives que peignaient déjà les « Fauves » rassemblés autour d'un Matisse (qui, peu de temps avant la mort de Renoir, vint à Cagnes lui rendre visite), des débuts du cubisme tel que l'expérimentaient un Picasso et un Georges Braque, ou encore de la peinture non figurative et « absolue » d'un Wassily Kandinsky.

Les derniers portraits de Renoir ont perdu de leur attrait psychologique. Certains déçoivent par la platitude des expressions, mais quelques-uns manifestent encore un désir de rendre de façon bien sentie l'individualité de la personne représentée. Les toiles les plus belles sont celles qu'un père émerveillé consacra à Coco, le fils qui lui était né sur le tard (p. 86). Elles nous le montrent objet de la sollicitude maternelle et nourricière de Gabrielle jeune fille, s'essayant à ses premiers dessins, à ses premières séductions de petit elfe aux boucles blondes. C'était un bel enfant gâté qui, en tant que tel, se prêtait admirablement bien aux recherches esthétiques de son père : c'était le genre qui réussissait le mieux à Renoir.

À côté de ces portraits, les toiles ou les études consacrées à Gabrielle ont quelque chose de flamboyant (p. 88). De temps à autre, le peintre a su rendre de façon posée et lucide l'application pleine de simplicité et sérieux qu'elle mettait dans toute chose ; de ces toiles émane une sorte de reconnaissance implicite. Mais il a en général éprouvé

Vue de la nouvelle église du Sacré-Cœur, vers 1896
Huile sur toile, 41,5 x 32,5 cm
Munich, Neue Pinakothek

Terrasse à Cagnes, 1905
Huile sur toile, 46 x 55,5 cm
Tokyo, collection particulière

le besoin de la parer de fleurs ou de bijoux, de lui faire porter des toilettes vaporeuses qui laissent entrevoir son corps et d'attribuer à ses mouvements une grâce qui n'a peut-être jamais été la sienne dans la réalité. Il s'inspirait de ses modèles plus qu'il ne les dépeignait. Les femmes qui se parent et se coiffent, toutes ces scènes de la toilette faite dans l'intimité, sont désormais d'une facture plus simple que par le passé, dépouillées de leurs effets de lumière et dépourvues de ces gestes capricieux pour lesquels il avait auparavant une prédilection. Les attitudes à partir desquelles s'ordonne la composition de ses tableaux sont empreintes d'une sérénité qui leur confère une portée plus générale et presque éternelle ; on n'y retrouve plus ces recoupements, ni ces zones de tension qu'il avait tant aimés au cours des années 1870. Mais la magie des couleurs nées de son imagination les sauve de la banalité. Nous ne les ressentons plus comme la transcription d'usages inscrits dans le quotidien, mais comme la formulation lyrique de rythmes musicaux libres. Certes, les thèmes qu'il privilégie sont traités sur un mode exclusivement tendre et harmonieux, mais ils ont tous quelque chose de lyrique et de dansant qui était ce qui lui convenait. Au cours de l'été 1909, il pria Gabrielle et un autre de ses modèles favoris de poser pour lui dans des costumes

« J'ai toujours cru et je crois encore que je ne fais que continuer ce que d'autres avaient fait, et beaucoup mieux, avant moi. »
PIERRE-AUGUSTE RENOIR

À GAUCHE:
Le Clown, 1909
Huile sur toile, 120 x 77 cm
Paris, Musée de l'Orangerie

À DROITE:
Madame Renoir avec Bob, vers 1910
Huile sur toile, 81 x 65 cm
Hartford, Wadsworth Atheneum, The Ella Gallup Sumner and Mary Catlin Sumner Collection Fund

PAGE 87 À GAUCHE:
Danseuse au tambourin, 1909
Huile sur toile, 155 x 65 cm
Londres, The National Gallery

PAGE 87 À DROITE:
Danseuse aux castagnettes, 1909
Huile sur toile, 155 x 65 cm
Londres, The National Gallery

orientaux qui ne sont pas sans évoquer une fois de plus les Algériennes de Delacroix; travesties en danseuses, jouant du tabourin et des castagnettes, les deux jeunes femmes étaient destinées à ornementer la salle à manger du collectionneur parisien Maurice Gangnat (p. 87).

Depuis l'époque de sa période dite «sèche», les nus féminins étaient devenus le thème préféré de Renoir. Ils ont dans une large mesure conditionné l'image que l'on se fait de son œuvre peinte à travers le monde: les spectateurs se sont accoutumés à associer son nom aux teintes évocatrices de la décoration sur porcelaine que l'on retrouve dans ses toiles du début des années 1890 et au rose fraise de ses dernières créations. On en oublie facilement que dans son œuvre impressionniste proprement dite, celle des années 1870, les nus occupaient une place bien moins importante que les scènes de la vie bourgeoise. Mais, comme la majorité des peintres français qui lui étaient contemporains, Renoir renonça au réalisme de ces scènes de genre pour se tourner vers un monde esthétique en marge des contradictions inhérentes à toute vie sociale.

Cependant, quoique transfigurées par leur innocente nudité et presque invariablement représentées en milieu champêtre (comparer p. 76, p. 77 et p. 80), les jeunes filles de Renoir ne dénient pas appartenir, de par leur stature et la conformation de leurs visages, à un type bien déterminé de la jeune fille française, celui que Renoir appréciait dans ses modèles. Il n'essaya pas de remettre au goût du jour les règles classiques des proportions, n'y d'élaborer des types idéaux, longilignes, plus conformes aux traditions académiques.

L'opulence de ces corps aux courbes larges et aux hanches épanouies nous révèle ce qu'étaient pour lui les canons de la beauté. Contrairement à de nombreux peintres de cette même époque, Renoir est toujours resté très proche des formes immédiates de la sensualité ; il n'a jamais quitté le terrain de la réalité. Mais cette réalité se réduisait aux seules formes que l'on pouvait en percevoir, ou pour être plus exact, au seul corps. Le réalisme des tableaux de Renoir tient tout entier dans les corps de ses jeunes modèles : il ne peignait que cela.

Femmes et jeunes filles n'étaient pour lui que des spécimens de l'espèce animale agissant selon leurs instincts. Dans l'idéologie dominante de cette époque, la femme était en général considérée comme plus sotte et plus proche du corps que l'homme. Les philosophes positivistes et les écrivains naturalistes avaient mis au goût du jour une approche scientifique, biologique de la nature humaine, qui était déjà en vogue à l'époque où l'impressionnisme n'en était encore qu'à ses débuts. Mais au tournant du siècle, cette tendance à réduire l'être humain à sa dimension animale s'accentua très nettement. Les jeunes filles de Renoir n'ont en fait d'« âme » que ce que leurs corps en laisse entrevoir. Elles ne sont pourvues ni d'esprit ni d'intelligence, et il ne leur concède même pas une parcelle de cette conscience d'agir en êtres sociaux qui est le propre de tous leurs concitoyens. Dans la plénitude de leurs corps fastueux, elles ne sont pour Renoir que de jolis animaux, des objets qui relèvent de la même essence que les fleurs et les fruits. Il faisait poser ses bonnes et tout ce qu'il demandait, c'était que leur « peau ne repoussât pas la lumière ». Il avouait sans fausse honte que les fesses étaient la partie de l'anatomie féminine qu'il préférait, encore qu'il eût un jour déclaré que si Dieu n'avait pas créé les seins, il ne fût certainement jamais devenu peintre. Dans ses dernières œuvres, il chercha surtout à célébrer et à magnifier ces charmes du corps féminin. Il le fit sans la moindre lubricité, avec – on me pardonnera ce paradoxe – une chasteté dans la sensualité qui avait, elle aussi, quelque chose d'animal, de naïf et de naturel. À travers ses tableaux, c'est un rapport esthétique à la nudité qui se fait jour, rapport qui peut être qualifié de classique : c'est en effet des œuvres de l'antiquité grecque qu'il semble se rapprocher le plus. Mais le classicisme de Renoir s'arrête là : il ne s'agissait pour lui que de ressusciter une éternelle Arcadie toujours baignée de soleil où il pourrait retrouver cet idéal de la beauté humaine auquel il aspirait profondément.

S'il lui est arrivé de reprendre à la manière d'une citation les célèbres poses des Vénus de la Grèce antique, il a su en d'autres occasions représenter ses modèles dans des attitudes sans artifices, en général plutôt rêveuses : leurs corps lourds, leurs petits seins fermement plantés, les courbes de leurs épaules, leurs petites têtes rondes, leurs yeux lumineux et leurs lèvres pleines sont évocateurs d'une réalité sensuelle bien présente. Au début des années 1890, il donna à leur teint une coloration nacrée où l'on distingue des ombres argentées ; il adopta par la suite des couleurs plus chaudes, plus lumineuses.

Comme en témoigne la *Baigneuse assise* peinte en 1914 (p. 90), Renoir sut vers la fin de sa vie conférer à ses nus féminins une stature et une grandeur dignes des modèles antiques. Parmi les teintes dans lesquelles ils sont peints, on est frappé par un rouge couleur fraise, traversé de pointes mauves et noyé dans une profusion de verts, de jaunes et de bleus : Renoir en fait souvent un peu trop. De même, il arrive que nous ayons quelque difficulté à supporter la vision de ces corps mous, trop généreux, qui nous semblent une émanation quasi maladive de l'imagination d'un peintre infirme, décharné, presque squelettique. Ces nus ont toutefois pour eux non seulement

Baigneuse se séchant, 1910
Fusain, 52 x 47,5 cm
Paris, collection particulière

« Je regarde un nu ; j'y vois des myriades de teintes minuscules. Il me faut trouver celles qui feront vivre et viber la chair sur ma toile. »
PIERRE-AUGUSTE RENOIR

PAGE DE GAUCHE :
Gabrielle aux bijoux, 1910
Huile sur toile, 82 x 66 cm
Genève, collection particulière

Les Baigneuses, vers 1918–1919
Huile sur toile, 110 x 160 cm
Paris, Musée d'Orsay

d'évoquer ici ou là des attitudes dignes des sculptures de l'antiquité, mais encore d'imposer leurs corps massifs et leurs gestes rares avec un naturel et une évidence souveraines : cela suffit à faire de ces femmes les divinités d'un monde terrestre. Guino a réalisé pour Renoir un bronze superbe, auquel ce dernier donna le nom de *Venus Victrix*. Déesse de l'amour faite incarnation de la Victoire, cette statue proclame par son sourire et par tout son maintien le pouvoir que son corps lui confère.

Pour peu que nous lui attribuions un sens plus large, cette appellation pourrait s'appliquer à l'œuvre de Renoir tout entière. Renoir était un homme simple et bon. Il n'éprouvait aucune attirance pour ceux qui, à son époque déjà, cherchaient à construire un monde aussi beau et aussi pur que le sien sur des bases plus solides et plus rationnelles que celles d'une esthétique sensuelle : ceux-là remettaient en cause le monde bourgeois dans lequel il vivait. Ses aspirations n'avaient rien de révolutionnaire. En quête de beautés nouvelles et éternelles, il ne fut jamais en mesure de percevoir et de formuler autre chose qu'une infime partie de la réalité. Mais il n'a jamais menti, et jamais non plus il n'a surévalué l'importance de sa propre personne au point de concevoir une vision déformée des véritables dimensions du monde réel dans lequel il évoluait. Son art n'a jamais cherché à dégrader ou à dévaloriser la personne humaine. Il aimait les gens, la lumière, l'infinitude de la nature. À une époque où le monde bourgeois était en proie à un malaise diffus, où la peur de vivre et le désespoir commençaient à gagner du terrain, Renoir a su à travers ses œuvres formuler des possibilités toujours renouvelées de bonheur et d'harmonie.

PAGE DE GAUCHE :
Baigneuse assise, 1914
Huile sur toile, 81,6 x 67,7 cm
Chicago, The Art Institute of Chicago

Pierre-Auguste Renoir
1841 – 1919 : vie et œuvre

1841 Naissance le 25 février de Pierre-Auguste Renoir, sixième des sept enfants du tailleur Léonard Renoir (1799 – 1874) et de son épouse Marguerite Merlet (1807 – 1896), à Limoges.

1844 La famille part pour Paris.

1848 – 1854 Fréquente l'école catholique.

1849 Naissance de son frère Edmond Victoire.

1854 – 1858 Apprentissage de peintre sur porcelaine ; peint des fleurs puis également des portraits sur des assiettes et des vases. Fréquente, en outre, les cours du soir d'une école de dessin.

1858 Doit abandonner la peinture sur porcelaine à la suite de la découverte du procédé de décor par impression. Commence par peindre des éventails et des armoiries colorées pour son frère Henri qui était graveur ; décore ensuite également des stores transparents pour un atelier de décoration. Gagne bien sa vie étant donné qu'il travaille dix fois plus vite que les autres.

1860 Accepté comme copiste au Louvre ; étudie Rubens, Fragonard et Boucher.

1862 – 1864 Études à l'École des Beaux-Arts et dans l'atelier de Gleyre ; fait la connaissance de Monet, Sisley et Bazille.

1863 Commence à peindre en plein air dans la forêt de Fontainebleau avec Sisley, Monet et Bazille. Rencontre Pissarro et Cézanne.

1864 Décide de devenir peintre et loue un atelier, alors que sa famille part pour Ville-d'Avray. Son tableau *Esméralda dansant* est accepté au Salon ; il le détruit après l'exposition.

1865 Peint dans la forêt de Fontainebleau avec Sisley, Monet et Pissarro. S'installe dans l'atelier de Sisley. Fait de la voile en descendant la Seine jusqu'au Havre. Rencontre Courbet qu'il admire. Fait à Marlotte la connaissance de Lise Tréchot qui devient son modèle.

1866 Fait la navette entre Marlotte et Paris. S'installe chez Bazille après le mariage de Sisley. Refusé au Salon malgré les interventions de Corot et de Daubigny. Peint à Marlotte *Le Cabaret de la mère Antony* (p. 11).

1867 Monet vient également s'installer chez Bazille. La *Diane* (p. 13) est refusée au Salon. Proteste avec Bazille, Pissarro et Sisley et fonde un « Salon des Refusés ». Peint *Lise à l'ombrelle* (p. 14).

1868 Reçoit du prince Bibesco la commande de deux portraits. Peint Sisley et son épouse (p. 16). La *Lise* est exposée au Salon et attire l'attention. Passe l'été avec Lise chez ses parents. Fréquente régulièrement le café Guerbois, où il rencontre Manet et Degas.

1869 Expose au Salon avec Degas, Pissarro et Bazille. Ses parents déménagent pour Voisins-Louveciennes ; passe l'été avec Lise. Rend visite

Renoir, vers 1875

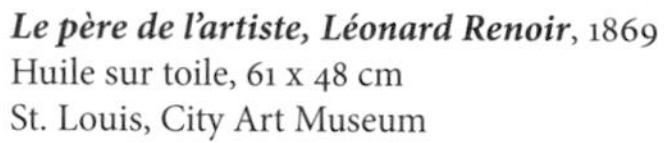

Le père de l'artiste, Léonard Renoir, 1869
Huile sur toile, 61 x 48 cm
St. Louis, City Art Museum

Autoportrait, 1876
Huile sur toile, 73,6 x 57 cm
Cambridge, Fogg Art Museum,
Harvard University

Le « château des brouillards », demeure de Renoir, 13 rue Girardon à Paris. Vers 1890

Renoir tenant une cigarette sur l'escalier de sa demeure rue Girardon. Vers 1890

La maison de Renoir à Essoyes

presque chaque jour à Monet à Saint-Michel près de Bougival; peint avec lui et l'aide. Premier paysage « impressionniste » : *La Grenouillère* (p. 19).

1870 Service militaire de juillet à mars dans le régiment des Chasseurs de Bordeaux. Bazille est tué au cours de la guerre.

1871 Retourne à Paris pendant la Commune. Peint des vues de Paris; se rend ensuite chez ses parents et à Bougival.

1872 Le marchand Durand-Ruel lui achète deux tableaux. Lise se marie. Signe avec Manet, Pissarro et Cézanne une pétition au ministre des Beaux-Arts en faveur du Salon des Refusés. Pendant l'été, il peint en compagnie de Monet à Argenteuil.

1873 Rencontre le journaliste Duret dans l'atelier de Degas; Duret achète *Lise à l'ombrelle*. Il loue un atelier plus grand à Montmartre. Pendant l'été et l'automne, peint avec Monet à Argenteuil. Fondation d'un groupe d'artistes indépendants dont font également partie Cézanne, Degas, Manet, Pissarro et Sisley.

1874 Première exposition des « impressionistes » (ainsi que les désigne ironiquement le critique Leroy dans *Le Charivari*) dans l'ancien atelier du photographe Nadar; vend trois tableaux, dont *La Loge* (p. 22). Rend visite à Monet à Argenteuil; il y rencontre également Manet et Sisley.

1875 Organise une vente aux enchères avec Morisot, Sisley et Monet à l'Hôtel Drouot; elle provoque scandale et bagarres; les 20 tableaux ne rapportent que 2 254 francs. Fait la connaissance du collectionneur Chocquet et de quelques marchands et banquiers bien placés qui achètent ou commandent des tableaux. Passe l'été à Chatou. Peint *Nu au soleil* (p. 30).

1876 Montre quinze tableaux à la seconde exposition des impressionnistes. Fait la connaissance de la famille de l'éditeur Charpentier qui commande des tableaux. Rend visite à Daudet, l'écrivain, à Champrosay. Peint *Le Bal du Moulin de la Galette* (p. 34/35) et *La Balançoire* (p. 37).

Renoir, vers 1885

1877 Expose 22 tableaux à la troisième exposition des impressionnistes. Organise avec Caillebotte, Pissarro et Sisley une deuxième vente aux enchères à l'Hôtel Drouot; reçoit 2 005 francs pour 16 tableaux.

1878 Retour au Salon. À la vente Hoschedé, il reçoit 157 francs pour trois tableaux. Peint *Madame Charpentier et ses enfants* (p. 42/43).

1879 Tout comme Cézanne et Sisley, il ne participe pas à la quatrième exposition des impressionnistes. Succès de *Madame Charpentier* au Salon. Première exposition particulière dans les salons du journal *La Vie moderne*. Passe l'été à Wargemont (Normandie); peint des femmes et des enfants du pays.

1880 Se casse le bras droit et peint de la main gauche. Proteste avec Monet contre les mauvais emplacements qui leur sont donnés au Salon. Premiers doutes sur sa peinture. Été à Wargemont. Habite à Chatou avec Aline Charigot qui deviendra sa femme. Le financier Cahen d'Anvers lui commande des portraits de ses filles (p. 49).

1881 Voyage au printemps avec des amis en Algérie. Passe le mois d'avril à Chatou; reçoit la visite de Whistler. Peint *Le Déjeuner des canotiers* (p. 50) qui représente ses amis. Voyage en Italie au cours de l'automne et de l'été; visite, entre autres, Venise (p. 56 et 57), Florence, Rome et Naples.

1882 Rend visite sur le chemin du retour à Cézanne à l'Estaque; peint des paysages et attrape une pneumonie. Durand-Ruel montre 25 tableaux de lui à la septième exposition des impressionnistes. Voyage de convalescence en

Renoir, vers 1901–1902

mars et avril en Algérie. Passe l'été à Wargemont et à Dieppe.

1883 Début de la période dite «sèche». Importante exposition particulière en avril chez Durand-Ruel avec 70 tableaux. Expose à Londres, Boston, Berlin. Passe l'été à Étretat, Dieppe, Le Havre, Wargemont, Le Tréport. Se rend avec Aline dans les îles Anglo-Normandes. Termine la série des trois *Danses* (p. 64 et 65). Cherche des sujets avec Monet au bord de la Méditerranée entre Marseille et Gênes; rend visite à Cézanne.

1884 Fait la navette entre Paris et Louveciennes où sa mère est malade. Projet d'une nouvelle société de peintres. Se rend avec Aline à Chatou. Va étudier les paysages de Corot à La Rochelle.

1885 Naissance de son fils Pierre le 23 mars. Longues vacances avec Aline à La Roche-Guyon; Cézanne lui rend visite. Passe l'automne à Essoyes. Peint surtout des *Baigneuses.* Crises de dépression.

1886 Présente huit tableaux à l'exposition des «XX» à Bruxelles et 32 à New York; vend bien. Passe l'été avec Aline et Pierre à La Roche-Guyon puis à Dinard (Bretagne). Détruit en octobre tous les tableaux faits durant les deux mois précédents. Durand-Ruel critique sa nouvelle manière. Passe décembre dans la famille d'Aline à Essoyes.

1887 Termine *Les Grandes Baigneuses* (p. 72/73). Se lie d'amitié avec Berthe Morisot.

1888 Rend visite à Cézanne à Aix-en-Provence; voyage au printemps à Martigues. Travaille l'été à Argenteuil et à Bougival. Dès l'automne à Essoyes. Crise de rhumatismes et paralysie faciale en décembre.

1889 Doit éviter le froid: travaille surtout à Essoyes. Passe l'été en famille à Montbriant; rend visite à Cézanne à Aix. Refuse de participer

Renoir à son chevalet devant la villa de la Poste. Cagnes-sur-mer, 1903

à l'Exposition universelle de Paris. Dépression, doutes sur son propre travail.

1890 Expose de nouveau avec les «XX». Premières gravures. Épouse Aline, la mère de Pierre, le 14 avril. S'installe rue Girardon à Montmartre. Passe juillet à Essoyes. Rend visite à Berthe Morisot à Mézy.

1891 Voyages à Toulon, Tamaris-sur-Mer, Le Lavandou et Nîmes. Passe l'été à Mézy. Durand-Ruel achète les trois tableaux de danses pour 7 500 francs chacun.

1892 Durand-Ruel organise deux grandes rétrospectives de 110 tableaux; premier achat de l'État français; il est désormais libre de soucis financiers. Se rend en Espagne avec Gallimard; admire Titien, Velázquez et Goya au Prado. Se rend avec sa famille en Bretagne; visite la colonie d'artistes de Pont-Aven.

1893 Cherche le soleil et la chaleur au bord de la Méditerranée. Passe le mois de juin chez Gallimard à Deauville. Août en famille à Pont-Aven.

1894 Mort de Caillebotte; Renoir est nommé exécuteur testamentaire; les musées ne montrent aucun intérêt pour la riche collection de tableaux impressionnistes que leur lègue Caillebotte. Gabrielle Renard, cousine d'Aline, est engagée comme bonne d'enfants et restera jusqu'en 1914 son modèle préféré. Le 15 septembre, naissance de son fils Jean, qui deviendra un célèbre metteur en scène de cinéma. Premiers contacts avec le marchand Ambroise Vollard. La goutte le

La maison de Renoir, «Les Colettes», à Cagnes-sur-Mer

contraint à marcher avec des cannes; fait des cures pour se soigner.

1895 Fuit le froid parisien en Provence. Revient pour l'enterrement de Berthe Morisot. Passe l'été avec sa famille et Gabrielle en Bretagne. Rupture avec Cézanne au cours de l'hiver.

1896 Se rend au festival de Bayreuth; la musique de Wagner l'ennuie. Se rend à Dresde. Le 11 novembre, mort de sa mère, âgée de 99 ans.

1897 La collection Caillebotte est acceptée par les musées de France. Passe l'été à Essoyes; tombe de bicyclette et se casse le bras droit.

1898 Passe l'été à Berneval. Achète une maison à Essoyes. Voyage en Hollande; Vermeer l'influence plus que Rembrandt. Une sévère crise de rhumatisme en décembre lui paralyse le bras droit.

1899 Passe l'hiver à Cagnes et à Nice. Peint de nouveau en plein air. Été à Saint-Cloud et à Essoyes; puis cure thermale à Aix-les-Bains. Querelle avec Degas.

1900 Janvier à Grasse. Cure pour ses rhumatismes à Aix-les-Bains. Cette fois, il montre 11 tableaux à l'Exposition universelle de Paris. Chevalier de la Légion d'honneur. Ses douleurs rhumatismales augmentent; mains et bras sont déformés.

1901 Nouvelle cure à Aix. Été à Essoyes; le 4 août, naissance de son troisième fils, Claude dit «Coco».

1902 S'installe avec Aline, Jean et Claude dans une villa à Cannes. Agrandit la maison d'Essoyes. Sa maladie empire; son œil gauche s'affaiblit et il commence à avoir de la bronchite.

1903 En raison de sa maladie, il passe désormais les hivers au bord de la Méditerranée et les étés à Paris et à Essoyes. Rendu furieux par les contrefaçons de ses œuvres.

1904 Continue de pratiquer la peinture de chevalet en dépit des douleurs. Été en famille à Bourbonne-les-Bains pour une cure. Succès triomphal au Salon d'automne (35 tableaux), ce qui lui redonne courage.

1905 Se fixe définitivement à Cagnes en raison du climat. Expose 59 tableaux à Londres. Le nombre de ses admirateurs ne cesse d'augmenter. Expose au Salon d'automne en tant que président d'honneur.

1906 Peint d'après des modèles, surtout Gabrielle. Rencontre Monet à Paris.

1907 Le Metropolitan Museum of Art de New York achète *Madame Charpentier et ses enfants* lors d'une vente aux enchères pour 84 000 francs. Achète à Cagnes le domaine « Les Colettes », où il fait construire une maison dans laquelle il s'installe en 1908.

1908 Achève deux sculptures en cire, sur les conseils de Maillol et de Vollard. Visite de Monet.

1909 Continue de peindre en dépit de ses douleurs. Termine pendant l'été à Essoyes les deux *Danseuses* (p. 87). Claude pose en costume de clown (p. 86).

1910 Se fait confectionner à Cagnes un chevalet destiné à lui faciliter le travail. Profite d'une courte amélioration pour partir avec sa famille à Wessling près de Munich pour y faire les portraits de la famille Thurneyssen ; voit les Rubens de la Pinacothèque. Ses deux jambes se paralysent après son retour.

1911 Fixé à son fauteuil roulant ; se fait attacher les pinceaux par des bandes à ses mains recroquevillées afin de pouvoir peindre. Nommé officier de la Légion d'honneur. Parution de la monographie de Meier-Graefe sur Renoir.

Renoir, 1914

1912 Loue un atelier à Nice. Un nouvel accès paralyse ses bras ; dépression parce qu'il ne peut plus peindre. Un docteur viennois lui procure une brève amélioration. Opération. Atteint de grands prix dans les ventes.

1913 Travaille avec Guino, un élève de Maillol, à des sculptures. Renoir « dicte » les formes que Cruino exécute avec ses mains en bonne santé.

1914 Visite de Rodin. Pierre et Jean sont engagés et blessés ; dure période pour Aline et Renoir. Gabrielle Renard se marie et quitte Cagnes.

1915 Jean est de nouveau grièvement blessé. Aline meurt à Nice le 27 juin, à l'âge de 56 ans. Renoir se fait transporter tous les matins devant son chevalet et continue de travailler. Il fait construire un atelier dans son jardin de Cagnes pour y travailler comme en plein air.

1916 Quoiqu'il ne dorme pratiquement plus, il continue de vivre pour son travail. Il emmène Guino à Essoyes.

1917 La National Gallery de Londres accroche un de ses tableaux. Visite de Vollard à Essoyes. Expose 60 tableaux à Zurich. Met fin à son travail avec Guino. Matisse lui rend visite.

1918 Vollard lui envoie les 667 reproductions de sa monographie sur Renoir. Travaille avec un sculpteur d'Essoyes, Morel.

1919 Termine au milieu de vives douleurs la grande composition *Les Baigneuses* (p. 91). Nommé commandeur de la Légion d'honneur. En juillet avec ses fils à Essoyes. Visite le Louvre où l'une de ses œuvres est accrochée auprès d'un Véronèse ; on le conduit dans son fauteuil roulant à travers les salles « comme un pape de la peinture ». Pneumonie en novembre puis pleurésie. Peint encore une nature morte avec des pommes. Meurt le 3 décembre à Cagnes ; il est enterré le 6 à Essoyes auprès d'Aline.

Renoir, sa femme Aline et son fils Claude surnommé « Coco », 1912

Renoir dans son fauteuil roulant avec Andrée Heuschling dite « Dédée », 1915

La tombe de Pierre-Auguste Renoir, celle de son fils Pierre et de sa femme Aline (à gauche) dans le cimetière d'Essoyes

Crédits photographiques

La maison d'édition remercie les musées, les collections privées, les archives et les photographes pour leur autorisations de reproduction et leur aimable soutien lors de la réalisation de ce livre.

akg-images, Berlin: 14 à droite, 66, 67 à gauche – photo Erich Lessing: 52
Courtesy The Art Institute of Chicago, Chicago: 45, 51, 53, 54, 90
ARTOTHEK, Weilheim – photo Blauel/Gnamm: 84 – photo Ursula Edelmann: 27 à droite – photo Jochen Remmer: 09 – photo Peter Willi: 86
The Baltimore Museum of Art, Baltimore: 75 à droite
Bildarchiv Preußischer Kulturbesitz, Berlin: 58
The Cleveland Museum of Art, Cleveland: 06, 67 à droite
Collection Oskar Reinhart « Am Römerholz », Winterthur: 24
Courtauld Institute Gallery, Londres: 22
Foundation E.G. Bührle Collection, Zurich: 49
Giraudon, Paris: 63, 68
The Metropolitan Museum of Art, New York: 02, 42/43, 75 à gauche, 80
The Minneapolis Institute of Arts, Minneapolis: 57
Museu Calouste Gulbenkian, Lisbonne: 23
Museu de Arte de São Paulo, São Paulo, Assis Chateaubriand, photo Luiz Hossaka: 74
Courtesy Museum of Fine Arts, Boston – All Rights Reserved: 64 à droite
Museum Folkwang, Essen, photo J. Nober: 14 à gauche
The National Gallery, Londres/akg-images, Berlin: 47
The National Gallery, Londres, Picture Library: 29, 61, 87 à gauche, 87 à droite
National Gallery of Art, Washington © Board of Trustees: 13, 18, 26, 33, 41, 70
Norton Simon Art Foundation, Pasadena: 15
The Philadelphia Museum of Art, Philadelphia: 72/73
The Phillips Collection, Washington: 50
Rheinisches Bildarchiv, Cologne: 16
RMN, Paris – photo R.G. Ojeda: 25 – photo Hervé Lewandowski: 27 à gauche, 30, 34/35, 37, 40, 65 à gauche, 65 à droite, 79, 82, 91 – photo J.G. Berizzi: 38 – photo C. Jean: 83, 86 à gauche
Scala, Florence: 88
Sotheby's Picture Library, Londres: 20
Statens Konstmuseer, Stockholm: 11, 19
Sterling and Francine Clark Art Institute, Williamstown: 56
Wadsworth Atheneum, Hartford: 86 à droite